PRODUTIVIDADE
PARA QUEM QUER
TEMPO

CARO LEITOR,

Queremos saber sua opinião sobre nossos livros.
Após a leitura, curta-nos no facebook/editoragentebr, siga-nos no
Twitter @EditoraGente e visite-nos no site www.editoragente.com.br.
Cadastre-se e contribua com sugestões, críticas ou elogios.

Boa leitura!

GERONIMO THEML

PRODUTIVIDADE PARA QUEM QUER TEMPO

Aprenda a produzir mais
sem ter que trabalhar mais

Diretora
Rosely Boschini

Gerente Editorial
Marília Chaves

Assistente Editorial
Natália Mori Marques

Editora de Produção Editorial
Rosângela de Araujo Pinheiro Barbosa

Controle de Produção
Karina Groschitz

Preparação
Amanda Moura

Projeto gráfico
Neide Siqueira

Diagramação
Join Bureau

Revisão
Vero Verbo Serviços Editoriais
Sirlene Prignolato

Capa
Natacha Fernandes e Patrícia Araujo

Imagens de capa
Gráfica Assahi

Copyright © 2016 by Geronimo Theml
Todos os direitos desta edição são
reservados à Editora Gente.
Rua Natingui, 379 – Vila Madalena
São Paulo, SP – CEP 05443-000
Telefone: (11) 3670-2500
Site: http://www.editoragente.com.br
E-mail: gente@editoragente.com.br

Este livro foi impresso pela Gráfica Assahi em papel
lux cream 70 g em janeiro de 2024.

Dados Internacionais de Catalogação na Publicação (CIP)
Angélica Ilacqua CRB-8/7057

Theml, Geronimo
    Produtividade para quem quer tempo: aprenda a produzir mais sem
ter que trabalhar mais / Geronimo Theml. – São Paulo: Editora Gente,
2016.
    160 p.

    ISBN 978-85-452-0097-0

    1. Produtividade no trabalho 2. Administração do tempo 3. Conduta
4. Sucesso nos negócios I. Título.

16-0257   CDD 650.1

Índices para catálogo sistemático:
1. Sucesso nos negócios – Carreira   650.1

Dedicatória

Às pessoas que mais amo nesta vida: Paty, minha esposa, meus filhos João e Carol, meus pais Célia e Geronimo, minha avó Célia (em memória) e minha cachorrinha Maggie, companheira de quase quinze anos. Vocês me fazem querer ser melhor a cada dia.

Agradecimentos

Ter um livro na prateleira de uma grande livraria pode parecer que foi um esforço de alguns meses com algumas pessoas envolvidas. Então, quando eu parei para escrever este agradecimento, eu me perguntei quem mais era responsável por este livro existir e acabei percebendo que o resultado final que você verá nas páginas seguintes é fruto do trabalho de uma vida, com a colaboração de muito mais pessoas do que possa parecer.

Olhando para trás, vejo que muitas pessoas interferiram positivamente para culminar no dia de hoje, em que estou escrevendo este agradecimento dentro de um voo entre Miami e Rio de Janeiro, com a Paty, minha mulher, dormindo à minha direita.

É óbvio que vou me esquecer de pessoas importantes, mas prefiro correr o risco de agradecer a maioria e deixar de fora um ou outro, mesmo sem querer, a simplesmente não exercitar minha gratidão ao máximo.

Impossível não começar pelos meus pais Geronimo e Célia, que moldaram a maioria dos meus valores através do exemplo que sempre me deram. Meu pai me mostrou o que é ser incansável como trabalhador, saindo de casa regularmente às 5h30 da manhã para trabalhar e voltando à noite, além de me mostrar que se é para fazer, então que seja da melhor maneira possível, desde o cuidado que ele tinha com seu táxi até a cobrança que me fazia pelos meus resultados na escola. Minha mãe é só amor e bondade, entrega total, mostrou-me a força da humildade e da dedicação ao próximo, sempre trabalhando incansavelmente e desempenhando com puro amor e maestria os papéis de profissional, mãe, filha e esposa.

Junto com meus pais, minha avó materna, que também se chamava Célia, que embora não esteja mais neste plano comigo, sempre foi para mim exemplo de pura força, energia, resiliência e coragem. Abandonada pelo marido, criou sozinha cinco filhos, experimentou a maior das dores, que é a de perder uma filha, e seguiu firme até concluir corajosamente sua passagem aos 98 anos.

À minha primeira esposa, Janine, que pelos dez anos em que estivemos juntos, entre tantos aprendizados, deu-me algo que eu não tinha, que foi a ambição positiva e a autoconfiança de que eu era capaz de ir muito além.

Ao Erico Rocha, que, para mim, é o maior empreendedor digital do Brasil e que me ensinou como levar minha mensagem para, literalmente, dezenas de milhares de pessoas, mudando o rumo da minha vida de um jeito até difícil de explicar, mas que dentro do livro dá para entender minimamente do que estou falando.

Ao Jober Chaves, que, além de amigo e de ser um grande mentor para diversos assuntos, apresentou-me ao incrível time da Editora Gente.

E sobre a Editora, uau, um time que indiscutivelmente foi peça fundamental e me deu todo o suporte para permitir que este livro que está em suas mãos agora pudesse ser possível. Desde os primeiros contatos com a incansável Rosely Boschini, até o acompanhamento de perto da minha dedicada editora Marília Chaves, passando por todo o time comercial com Fabrício Santos e todos que se envolveram direta ou indiretamente no resultado final, vocês têm minha gratidão profunda.

Ao Roberto Shinyashiki, que fez questão de interromper suas atividades regulares do dia a dia, que você deve imaginar que não são poucas, para sentar comigo e me passar informações preciosas para que este livro fosse o melhor possível.

Ao meu time da Full Ideias, que são as pessoas por trás do Geronimo. Embora seja o meu nome que está na capa do livro, existem incontáveis pessoas e esforços por trás para que o resultado final aconteça. Um dia, numa reunião, eu perguntei para nosso time o que nós éramos lá na empresa e a resposta veio fácil: "nós somos uma família que melhora o mundo"; e é a pura verdade, cada Full Idealístico, que é como nós nos chamamos, não apenas trabalha para um mundo melhor, mas também se entrega completamente ao que faz, sendo cada vitória minha e de todos eles. Claro que aqui incluo também parceiros estratégicos, como o Rodrigo Vinhas e tantos outros importantes.

A todos os meus alunos da Academia da Produtividade, que me fazem pensar e evoluir o programa com suas perguntas inteligentes e pela generosidade de sempre compartilhar comigo uma incontável quantidade de vitórias que tiveram aplicando o que vou ensinar neste livro. Sempre que me sinto enfraquecido na minha jornada, corro para reler as histórias inacreditáveis que foram construídas a partir do que vamos falar nas próximas páginas deste livro.

Deixo registrada minha gratidão ao grupo de mastermind do qual participo, que me ajuda permanentemente a encontrar soluções e a pensar positivamente para construir um mundo muito melhor.

Se eu olhar para as minhas conquistas e realizações, inclusive a concretização deste livro, é absolutamente impossível eu não agradecer profundamente à Paty, minha esposa. Talvez ela não saiba disso, mas verdadeiramente não é simples estar do meu lado todos os dias, com todas as minhas questões sobre a existência, meu perfeccionismo e minha necessidade de evolução permanente. Paty é a melhor mulher que um homem poderia querer ao seu lado. Agradeço profundamente pela existência dela em minha vida quase todos os dias e o faço de novo aqui neste espaço. Obrigado, amor da minha vida.

A João e Carol, meus filhos amados, que, não importa o que aconteça, contam os minutos para que eu chegue em casa e eles possam me abraçar e externar o tamanho amor que sentem por mim. Vocês dois fazem o papai querer ser melhor a cada dia para servir de exemplo. Simplesmente amo vocês com uma força que eu não poderia descrever com palavras, mesmo se quisesse.

Para terminar com o mais importante, agradeço a Deus, Inteligência Suprema e Amor Incondicional, por permitir que eu siga na minha jornada, cumprindo a minha missão de vida que é fazer as pessoas acreditarem que a vida pode ser mais e caminharem nessa direção em suas vidas.

Prefácio

Março de 2015 foi para mim o mês de maior benção e penitência. Nesse mês, eu tinha acabado de bater o recorde brasileiro com o lançamento de um infoproduto digital. Essa foi a minha benção. Foi um privilégio conseguir orquestrar um movimento de tamanha audiência, impacto e faturamento.

Contudo, ao final do lançamento eu estava esgotado, não só fisicamente, mas psicologicamente. Sentia que aquela conquista, infelizmente, havia tido um alto custo em outras áreas da minha vida, em especial na pessoal – saúde – e na familiar. A minha penitência.

Assim, tal evento me colocou em um paradoxo.

Ao mesmo tempo que eu queria intensificar ainda mais o meu trabalho de difundir o empreendedorismo digital no Brasil, não queria que isso tivesse um custo em minha saúde e minha vida familiar. Afinal, nenhum sucesso nos negócios ou missão de vida justifica um fracasso pessoal e familiar.

Escolhi me negar a acreditar que o sucesso em uma dessas áreas só era possível se eu sacrificasse as outras. A partir daí, comecei a procurar exemplos de pessoas que tinham alto nível de realização em diferentes áreas da vida e que eram importantes para mim...

Foi quando minha atenção se voltou ao Geronimo, ex-advogado da União que tinha se matriculado no meu principal curso de empreendedorismo digital, a Fórmula de Lançamento. Seu sucesso e sua realização como empreendedor foram tão estelares que eu até gravei um vídeo de estudo de caso com ele na época.

O que mais me chamou a atenção, porém, é que toda aquela realização e o sucesso profissional não pareciam ter tido um custo pessoal e familiar alto para ele. À medida que eu me aproximava dele, via como ele era feliz com sua esposa Paty e seus dois filhos, João e Carol. Enfim, quanto mais seus resultados como empreendedor cresciam, aumentavam também a sua qualidade de vida e a do relacionamento com sua família.

Finalmente eu tinha encontrado uma prova viva de que era possível o que procurava. Com a nossa aproximação, percebi que não só era viável esse tipo de realização como era replicável. Ali mesmo, Geronimo generosamente me ensinou os princípios básicos que ele publicou neste livro. E também ali a minha vida começou a dar uma guinada.

Hoje meus negócios continuam crescendo. Do ano passado para cá, cresceram cerca de 50%. E, assim como os negócios cresceram, também aumentaram a quantidade e a qualidade de tempo que eu passo com minha família. Usando os princípios deste livro eu não preciso mais escolher entre o sucesso em uma área ou em outra. Eu realizo mais em todas as áreas que são importantes para mim.

Ao ler e aplicar os princípios que estão carinhosamente escritos aqui, eu acredito que, ao mesmo tempo que você poderá produzir mais resultados, terá uma alta chance de se olhar no espelho e falar a mesma frase que comecei a dizer para mim depois que apliquei isso na minha vida: "Nossa, o que eu faço com todo esse tempo livre que eu tenho agora?!"

Acredito que a sensação que me restou depois de aplicar os princípios deste livro e ver minha vida transformada foi sentir que o Geronimo, uma vez meu aluno em empreendedorismo, virou meu mestre em realizar.

Erico Rocha
Principal especialista de Marketing Digital para
pequenos negócios do Brasil, segundo a *InfoMoney*

Sumário

Introdução	....	17
	"De quais histórias VOCÊ quer viver?"	18
Capítulo 1	A fábula da virada de ano e o monstro do dia a dia.........	25
Capítulo 2	A teoria do carro novo e o momento "Tá vendo que não vai dar?"	31
	A teoria do carro novo	32
	O momento "Tá vendo que não vai dar?"	33
Capítulo 3	Se fosse fácil, todo mundo faria.................................	41
Capítulo 4	A mentira antes das verdades e os níveis de produtividade	49
	A mentira da divisão pessoal e a teoria do equilíbrio dos papéis da vida...................................	49

Desdobramentos das Tarefas de Ocupação e Tarefas de Produção	52
Os níveis de produtividade	54
Os pilares da produtividade Nível A	60

Capítulo 5 Verdades libertadoras sobre produtividade 63

A primeira verdade – Ocupar-se não
é produzir ... 66

A segunda verdade – As tarefas nunca
vão terminar ... 68

A terceira verdade – Se você não tem agenda,
acaba virando a agenda dos outros ... 70

A quarta verdade – Mais importante que a
velocidade é a direção ... 73

Capítulo 6 Verdades transformadoras sobre produtividade 79

A quinta verdade – O maior ladrão de energia
é pensar em algo no momento em que
você não pode fazê-lo ... 80

A sexta verdade – Não trate exceção
como regra ... 82

A sétima verdade – Felicidade não é uma linha
de chegada. Ela é o próprio caminho ... 85

A oitava verdade – Se fosse fácil, todo
mundo faria ... 88

Capítulo 7 Primeiro pilar: a clareza eficaz ... 93

Estabelecendo seu propósito de vida ... 97

Desenhando a fotografia certa ... 101

Produtividade para quem quer tempo 15

Capítulo 8	Segundo pilar: o Método de Produtividade Inteligente	105
	Produtividade Nível A e a lógica da bandeja equilibrada	107
	Os ciclos da vida moderna	110
	O ciclo semanal	111
	Higienização do depósito do "tem que"	115
	Prioridades diárias e a folha de produtividade A	116
	DRD – Uma evolução da agenda	121
	Fechamento do MPI da produtividade Nível A	127
Capítulo 9	Mentalidade vencedora	129
	Neutralizando o Zeca Urubu	130
	Onde está o seu foco e o veneno dos pretextos	135
Capítulo 10	Energia	141
	A fisiologia e a dor de barriga	143
	Sono sem culpa	145
	A fadiga das decisões	146
	Onde a vida realmente acontece	148
	A importância da água	150
Capítulo 11	Agora você começa a criar as histórias que terá orgulho de contar	153
	Pequena vitória	154
	Produzir é ser íntegro	156
	Seu único desafio de agora em diante	158

Introdução

Estou escrevendo em pé esta primeira página do livro. Literalmente. Sim, em vários momentos do dia eu trabalho em pé, mas vamos deixar esse assunto mais para a frente – o fato é que parei por um instante para me perguntar o motivo real para eu estar fazendo isso? Você deve imaginar quanto trabalho dá escrever um livro e eu precisava entender a razão de eu mudar completamente a minha rotina de vida, de sair da minha zona de segurança para escrevê-lo.

E quero começar dividindo o que está se passando na minha cabeça neste exato momento, enquanto escrevo esta primeira página. O fato é que este não é um livro que vai falar para você trabalhar mais, fazer listas de tarefas para, quem sabe um dia, conseguir dar conta de todas as atividades que fazem parte da vida moderna.

Para começar a falar de como produzir mais, com menos esforço e mais felicidade, é importante que você saiba qual é meu ponto de vista. Por que é importante ser produtivo? O que é ser produtivo? Como produzem as pessoas que têm um Nível A de produtividade? Acredito, de verdade, que depois de certo tempo de vida, todos nós, sem exceção, vamos viver só de histórias. Até consigo imaginar a figura daquele vovô que reúne a família para contar as histórias que viveu ao longo da vida. E a pergunta que tenho a fazer é:

"De quais histórias VOCÊ quer viver?"

E é muito importante entender que as histórias que você vai contar lá na frente são aquelas que estão sendo construídas exatamente agora. E posso lhe garantir que chegar perto da morte e não ter orgulho das histórias que construiu é desesperador, pior até que a própria sensação do fim em si, e digo isso com propriedade, tanto por ter chegado bem pertinho da morte como por ter construído por anos histórias de que não me orgulhava contar.

É disso que vamos falar neste livro, de como ter uma vida que lhe permita construir histórias incríveis, histórias que você vai sentir orgulho de contar, e eu vou lhe ensinar como fazer isso mais depressa, com menos esforço e com muito mais felicidade.

E afinal, o que é, na prática, orgulhar-se da vida que se tem, vangloriar-se das histórias que se tem para contar? Depois de atender como coach mais de uma centena de pessoas individualmente e de ter contado com milhares de alunos que participaram dos meus treinamentos on-line, consegui mapear quais são os Elementos Essenciais da Felicidade.

Percebi que passavam por mim muitas pessoas que sempre tinham a sensação de que faltava alguma coisa na vida delas, e algumas tinham tudo para ser felizes, mas a falta de conquistas materiais as deixava frustradas. Outras tinham ótimas condições financeiras, mas se sentiam em desequilíbrio, engolidas pela vida. Havia ainda aquelas que contavam com muito tempo livre, mas adiavam tanto o que tinha de ser feito que a vida passava, e essas pessoas sentiam como se girassem em torno de si mesmas.

Então, parei para observar mais de perto tanto as histórias daquelas milhares de pessoas como a minha jornada até aquele momento. Foi quando identifiquei que **existem quatro elementos essenciais da felicidade**.

O primeiro elemento essencial da felicidade é a **Realização Pessoal**, que se refere ao sentimento de propósito, à sensação de estar cumprindo sua missão de vida. Pessoas que já atingiram esse elemento sentem paz interior e enorme gratidão por terem encontrado o lugar delas nesta existência. Tendem a ser indivíduos leves e agradáveis.

O segundo elemento é a **Realização Profissional**, e aqui eu me refiro a qualquer tipo de atividade profissional, seja como funcionário de uma empresa, autônomo, empresário e estudante seja como pessoas que se dedicam profissionalmente a cuidar da própria casa e da família. Uma pessoa Realizada Profissionalmente utiliza seus talentos na potencialidade máxima e respeita seus valores de maneira integral.

Essas pessoas que já se realizaram profissionalmente trabalham satisfeitas, não têm aquela sensação ruim no domingo à noite, pois a proximidade da segunda-feira não as incomoda. Elas não têm problema de falar sobre o trabalho, ao contrário, costumam se entusiasmar ao falar a respeito do que fazem no dia a dia.

Realização Financeira plena é o terceiro elemento essencial da felicidade. Não adianta sentir-se realizado pessoal e profissionalmente se ainda não tiver alcançado todas as conquistas materiais que gostaria. Acredito de verdade que a vida pode ser mais e que toda e qualquer pessoa tem o direito de viver a vida em abundância, desde que siga o passo a passo necessário para chegar lá. Agora, qual é o número mágico da realização financeira? Eu posso garantir que ele existe, mas é totalmente individual e variável no tempo.

Usando meu próprio exemplo, a realização financeira para mim já foi sinônimo de um dia deixar de pagar aluguel e morar num apartamento de quarto e sala próprio. Depois, eu quis ter uma cobertura dúplex com um Porsche na garagem, e hoje, que posso ter os dois, a realização financeira é algo bem diferente.

Este Elemento Essencial da Felicidade está completamente ligado a cada indivíduo, portanto, não sei ao certo o que você precisa ter para se sentir realizado no aspecto financeiro, mas o que posso assegurar é que se você não chegar lá um dia, vai ter a sensação de que todo o esforço para atingir a realização pessoal e profissional terá sido em vão.

E, para ser mais claro, uma pergunta que eu mesmo me faria é a seguinte: "Mas, Geronimo, e as pessoas que mesmo sem grandes conquistas materiais são realizadas?". Essa é uma pergunta excelente, e a resposta é bem simples. É que muitas vezes, como no caso de alguns artistas de rua, por exemplo, as exigências materiais deles são muito simples, e não há nada de errado nisso. Aliás, como regra, não há nada de errado naqueles que fazem voto de pobreza ou que se contentam quando faturam o suficiente para comer, nem com aqueles que querem morar numa cobertura dúplex de frente para o mar.

A pergunta certa a fazer é: "Quais são os bens materiais e as reservas financeiras que você precisa para se sentir plenamente realizado no aspecto financeiro"? Essa resposta será o seu número.

Agora, o quarto e último elemento essencial da felicidade eu só descobri de verdade quando conquistei os três primeiros. Houve determinado momento da minha vida em que eu me sentia realizado, tanto na vida profissional quanto na pessoal, tinha alcançado todas as conquistas materiais de que eu precisava. Contudo, eu trabalhava catorze horas por dia, não acompanhava o crescimento dos meus filhos, comecei a engordar, vivia nervoso, estressado e cheguei a ter uma síndrome metabólica; as taxas de colesterol ruim, triglicerídeos e glicose estavam todas erradas, sem contar a pressão arterial alterada, que chegou a picos de 17 por 11.

Aprendi na prática que não adianta conquistar as Realizações Pessoal, Profissional e Financeira se não houver o **quarto elemento essencial da felicidade: o Equilíbrio.**

E esse elemento Equilíbrio inclui absolutamente tudo aquilo de que você precisa para se sentir nesse estado e, mais uma vez, estamos falando de fatores individualizados. Talvez para você, estar em equilíbrio signifique ter tempo para a família, tempo para cuidar de si mesmo, para fazer atividade física, para ler um livro com tranquilidade, para desenvolver sua espiritualidade ou religiosidade etc.

Todos exercemos diversos papéis na vida, como o de filho, pai, amigo, sobrinho, vizinho, profissional, o de indivíduo e tantos outros, e sempre que algum desses papéis que é importante para você é deixado de lado, negligenciado, o sentimento de falta de equilíbrio surge e, mesmo que todos os outros elementos tenham sido atingidos, a sensação que fica é a de que não está valendo a pena, de que todo o sacrifício para chegar ali foi inútil.

É disso que vamos falar neste livro, de como ser feliz preenchendo seu sentimento de propósito, de significância na vida, fazendo algo que você ama fazer, alcançando as conquistas materiais que forem importantes para você e tudo isso com completo equilíbrio. Como ser você mesmo por inteiro e fazer isso caber nas 24 horas do dia, nos 365 dias do ano, sem sofrer e sem trabalhar mais – porque eu tenho certeza de que você já trabalha muito.

Agora um ponto muito importante antes de seguirmos. Uma vez que este livro é sobre como ter uma produtividade Nível A e eu valorizo muito o seu tempo, faço um convite para você reservar trinta segundos, olhar para a própria vida e responder às quatro perguntas que parecem simples, mas que, por mais que pareçam, não são tão óbvias assim:

1. Neste exato momento, você sente que descobriu seu propósito de vida, que vive por sua missão, que se sente pleno como pessoa? (Realização Pessoal)

2. Você tem um trabalho em que sente que está contribuindo com uma causa maior? Sente que seu trabalho tem significância, e que por meio dele exercita seus melhores talentos na potencialidade máxima e respeita seus valores? Você sente verdadeiro prazer de acordar todos os dias e fazer essa mesma atividade? Seu trabalho faz você se sentir vivo e desafiado a querer ser

sempre melhor, não porque precisa ser melhor, mas apenas porque ama o que faz? (Realização Profissional)

3. Você já alcançou todas as conquistas materiais que gostaria, de modo que suas reservas financeiras atuais sejam maiores do que você precisa materialmente falando? (Realização Financeira)

4. Sente-se equilibrado em todos os papéis que exerce na vida, como pessoa, filho, pai, amigo, marido ou mulher, e tem tempo de qualidade para as pessoas que ama, para fazer o que gosta e para cuidar de si mesmo? (Equilíbrio)

Vou ser sincero com você. Se respondeu SIM para todas as perguntas acima, se você já atingiu seus elementos essenciais da felicidade na totalidade máxima, não tem razão para continuar lendo este livro, porque o que você vai ler, aprender e colocar em prática nas páginas seguintes é um passo a passo seguro e detalhado de como produzir o dobro do resultado, com menos esforço para ter muito mais felicidade.

E se você percebeu que ainda não atingiu todos os elementos da felicidade, o que eu vou fazer, de certo modo, é "instalar" em você o hábito de realizar seus objetivos de forma ordenada, de parar de adiar o que precisa ser feito e começar a construir as histórias incríveis de que vai sentir orgulho de contar lá na frente.

Em contrapartida, se você já for um realizador e seu problema é justamente o oposto, se a sua dificuldade é fazer muita coisa no dia a dia, tanto que acaba se sentindo engolido pela vida, e que mesmo realizando bastante, sempre fica a sensação de que não vai dar, de que a vida não cabe nela mesma, de que o dia precisava ter trinta horas, o Método de Produtividade Inteligente que eu vou oferecer para trabalhar a seu favor vai permitir que produza da forma certa tudo o que é necessário, mas com muito menos esforço.

Para que entenda de vez o que vai ler nas páginas seguintes, vamos falar sobretudo de como ter simultaneamente TEMPO e RESULTADO, porque o raciocínio é muito simples, e, a depender da sua vida atual, você vai se encaixar num dos perfis a seguir:

- **Vida Vazia:** tem TEMPO, mas não tem RESULTADO. Pessoa com muito tempo livre, mas que não tem o resultado que gostaria. Tem uma vida aparentemente boa, mas, à medida que o tempo passa, sente-se frustrada e envergonhada por ver as pessoas evoluírem e ela ter ficado parada no tempo.

- **Arrastador de Pedra:** tem RESULTADO, mas não tem TEMPO. Em geral, é a pessoa que em algum momento da vida vai se arrepender de ter trabalhado tanto e não ter cuidado da própria saúde ou de não ter visto o filho crescer. Costuma usar como desculpa o amor pela própria família para justificar a ausência em casa e a falta de cuidados com a própria saúde em prol do trabalho sem fim.

- **Ocupado:** sem RESULTADO e sem TEMPO. Você vai entender ao longo do livro que existem algumas verdades absolutas sobre produtividade e uma delas é que se ocupar não é produzir. O ocupado é o típico perfil que passa o dia se ocupando sem de fato produzir o que é necessário para construir histórias de que sente orgulho por contar. Em geral, são pessoas frustradas que dizem não entender o que falta para conseguirem sucesso na vida. Elas têm a sensação de que trabalham muito, mas se olhar de perto, apenas passam dia após dia se ocupando, sem realmente produzir o necessário.

- **Realizador Nível A:** tem RESULTADO e tem TEMPO. Realizador Nível A é aquele que tem tempo para fazer tudo o que ama na vida e ainda realiza tudo o que precisa para preencher os elementos essenciais da felicidade. E esse será o seu perfil caso aceite colocar em prática o passo a passo que vou ensinar ao longo deste livro.

Para terminar, há também o perfil típico do procrastinador, que é aquele que está sempre adiando o que precisa ser feito, basicamente a pessoa que quando decide que chegou a hora de fazer algo importante se lembra, bem naquele momento, de um monte de coisas bem menos importantes que precisam ser feitas.

É a pessoa que se senta à frente do computador para escrever algo importante, para fazer um trabalho que já estava adiando há algum tempo, mas decide que antes precisa arrumar a mesa ou pagar uma conta, ou dar uma rápida olhada nas notícias do dia, ou limpar a caixa de entrada de e-mails, ligar para alguém que ela não liga há muito tempo, organizar uma pilha de papel, que nem ela mesma faz ideia do que há nessa pilha... Enfim, o cérebro do procrastinador é cruel, por que vai sempre achar um jeito de adiar o que é relevante e precisa ser feito, sempre achando uma brecha para executar tarefas secundárias que não levam a lugar nenhum.

O procrastinador em geral acaba se encaixando no perfil do Ocupado, porque não é que ele passa o dia à toa, muito pelo contrário, ele passa o dia pulando de tarefa em tarefa, mas nunca chega realmente àquilo que vai fazer diferença na vida dele, diferença para construir histórias que ele de fato vai sentir orgulho de contar. O dia voa e no final de tudo, ele tem a sensação de que não fez nada.

Bom... se você está pronto para se tornar um Realizador Nível A, para conquistar realização pessoal, profissional, financeira e ter equilíbrio em todas as áreas da sua vida, tudo isso com menos esforço e muito mais felicidade, terei o prazer de conduzi-lo por essa jornada.

Capítulo 1

A fábula da virada de ano e o monstro do dia a dia

Eu não era feliz com meu trabalho, não me sentia realizado e simplesmente não tinha orgulho das histórias que estava construindo. E o pior é que eu não conseguia sair daquela situação.

Eu não sei exatamente quantas vezes isso já aconteceu com você, mas já perdi as contas dos dias que acordava de manhã com a certeza de que aquele seria um dia incrível, que conseguiria ser bastante produtivo, que colocaria minha vida em ordem e que todas as tarefas caberiam nele. No fim do dia, porém, a sensação que eu tinha era de que o dia tinha voado e não tinha feito praticamente nada.

Uma história parecida com a que eu vivi tantas vezes é a do Carlos. Ele trabalha em casa, o que para muita gente é um sonho, pois passa a sensação de ter tempo para fazer tudo o que quer e na hora que quer. Rotineiramente, ele vai dormir com a sensação de que o dia seguinte será diferente, produtivo, que antes de começar a trabalhar ele conseguirá fazer muita coisa, como comer direito e fazer algum exercício físico.

26   Geronimo Theml

Na prática, logo de manhã, a rotina dele começa com o despertador do celular tocando por volta das 7 horas da manhã. Em seguida, o Carlos estica o braço e, no mesmo momento em que desliga o despertador, já aproveita para passar os olhos nas mensagens novas que chegaram e, ainda na cama, ler as chamadas de algumas notícias num site que ele gosta de ver para se sentir atualizado com o que está acontecendo no mundo.

Então, como está com o celular nas mãos, aproveita para olhar o que teve de novo nas redes sociais, até que resolve olhar os e-mails de trabalho e meio que sem pensar começa a responder aquilo que consegue; os e-mails que são mais complicados ele marca novamente como "não lidos" para deixar para mais tarde. Enfim, já tem um tempo que o despertador tocou e ele ainda está na cama.

Quando vai se aproximando das 9 horas da manhã, ele percebe que não dá mais tempo de comer direito e com calma, muito menos de fazer a atividade física que tinha programado. Se fizesse naquele horário, todo o resto do dia estaria comprometido. Então, vai para a mesa de trabalho para começar o dia profissional, já com um sentimento ruim de não ter conseguido fazer o que queria antes de começar a trabalhar. Quando senta, quase que instantaneamente as tarefas começam a pular na frente dele, e-mails, contas para pagar, mensagens de WhatsApp, e quando menos percebe já deu meio-dia e ele praticamente ficou no modo automático até aquele horário.

Ele queria ter progredido com seus projetos, mas ainda não deu, e o pior é que quando consegue avançar um pouco em algum de seus projetos de vida, o sentimento que fica é de que os e-mails se acumularam e, então, começa a se sentir sufocado. Volta do almoço e praticamente o que acontece é um replay da manhã, um monte de tarefas das 9 às 19 horas e ele nem consegue lembrar o que fez de útil no dia.

De noite, mesmo exausto, pelo menos ele teria o tempo de jantar, tomar um bom banho, ler alguma coisa que tenha prazer ou ver um filme, mas o cansaço é tão grande que acaba assistindo TV enquanto come alguma coisa no sofá mesmo e ali acaba dormindo. Há também dias em que prefere não ver TV e fica preso nas redes sociais até depois da meia-noite e, quando se desconecta, ainda vem o sentimento de culpa por lembrar que está indo dormir tarde, que provavelmente já vai acordar cansado no dia seguinte e a quantidade de tarefas que espera por ele.

De verdade, ele sente que deveria ser melhor, mais rápido, cumprir mais tarefas, deveria organizar seu tempo de modo mais eficiente porque está sempre correndo para fazer coisas básicas e não consegue fazer nenhum projeto de vida prosperar de verdade. Ele pensa em trabalho quase 24 horas por dia, mas na verdade dificilmente termina uma semana sem alguma bomba estourar, sem ter esquecido de fazer algo muito importante ou sem perder o sono por algum orçamento que precisa entregar no dia seguinte.

Carlos faz muito, passa o dia envolvido em tarefas do cotidiano, mas ainda não sabe que, no fundo, ele não sabe produzir da forma certa. O ciclo de tarefas e pendências que o fazem se sentir sufocado vão sufocá-lo cada dia mais até o momento em que ele não aguentar mais. Carlos trabalha em casa, mas poderia ter o próprio negócio, ou trabalhar numa empresa, ser profissional liberal, não importa: da forma como ele vive, jamais vai colher benefício do contexto em que estiver vivendo, pois simplesmente não sabe como sair desse círculo vicioso. Quantas pessoas assim você conhece? Gente que chega ao final do dia com a sensação de que ele voou, ou pior: "O dia não rendeu".

Outra coisa que me era muito recorrente: quando o final do ano se aproximava, batia aquela sensação de que o ano tinha passado voando, um sentimento que se misturava com a impressão de que a cada ano a vida parecia passar mais e mais depressa.

No entanto, logo depois vinha a virada do ano, novas metas e a esperança renovada, a certeza de que dessa vez tudo seria diferente. Esse é o momento em que acontece a fábula da virada do ano.

Metas escritas no papel, abraços de virada de ano ao som de rolhas de espumante estourando, esperança renovada, promessas de que este ano vai ser diferente, comprometimentos públicos nas redes sociais, mensagens de WhatsApp e todo aquele ritual do réveillon.

Já vi isso acontecer com pessoas que querem emagrecer, mudar de emprego, passar num concurso público, abrir o próprio negócio físico ou digital, aumentar os lucros da empresa, terminar o trabalho de conclusão de curso da faculdade, aprender uma língua, viajar para o exterior, ganhar seu primeiro milhão, ter tempo para brincar com os filhos, cuidar da própria saúde, fazer atividade física e um monte de tantas outras realizações.

Depois disso tudo, o ano começa diferente, a fábula da virada do ano até parece que vai se concretizar, as metas começam a parecer exequíveis, elas estão vivas na memória ou até registradas em algum lugar bem a vista. A pessoa faz listas do que tem de fazer, organiza-se, até estuda algumas técnicas de produtividade, prioriza aquilo que deve ser feito para conseguir alcançar a meta.

Estou falando da virada do ano, mas poderia ser qualquer momento em que se resolve mudar de vida. Muitas vezes a "virada de ano" pode ser representada por uma palestra motivacional ou por um vídeo do YouTube que deflagrou o sentimento de "agora vai". E isso pode acontecer a qualquer instante, e ser disparado por qualquer fato que lhe dê o sentimento de "ponto da virada". Qualquer um desses sentimentos pode produzir exatamente o mesmo fenômeno da fábula da virada do ano.

Contudo, assim como a virada do ano, o tal "ponto da virada" vai se afastando, ficando para trás, e começam a surgir os primeiros obstáculos. Chegam os primeiros dias que não rendem tanto, e o que tinha de ser feito acaba ficando por fazer.

Aparecem de novo os dias que passam rápido demais. A quantidade de e-mails para responder e as tarefas que tinham de ser feitas naquele dia não deixaram tempo para avançar na meta principal, mas como a confiança ainda está alta, fica a certeza de que foi só uma exceção, afinal, "na próxima segunda, eu me organizo e retomo o caminho".

Vem a segunda-feira e você até consegue voltar um pouco ao rumo, mas na terça-feira tudo já sai do controle novamente. São dias em que as metas não cabem, distrações das redes sociais, volume interminável de tarefas que não levam a lugar nenhum, embora sejam obrigatórias, a sensação de dormir e não se sentir renovado na manhã seguinte e, pronto, o monstro do dia a dia da vida moderna já engoliu a fábula e a rotina de dias que não rendem praticamente nada e de anos que voam e passam cada vez mais depressa já se instalou de novo, até que chega o final do ano ou acontece um suposto ponto da virada e tudo recomeça.

Assim a vida vai passando e, não sei se é o seu caso, mas muitas pessoas, antes de aprenderem o que vou ensinar neste livro, contavam que se sentiam como se estivessem secando gelo na vida, e não importa o que fizessem, seus planos não progrediam.

Pode ser que, ao olhar um pouco mais de perto para a própria vida, você se identifique com essa situação, dias que não renderam nada, anos que voaram, metas que caíram na fábula da virada do ano e que logo depois foram engolidas pelo monstro.

E já que estamos falando disso, vamos pensar um pouco mais sobre o tema. Por favor, responda para mim: qual foi a última meta que você já estabeleceu para si e que acabou repetindo nas viradas de ano, mas que, ano após ano, acaba engolida pelo monstro do dia a dia?

Escreva aqui algumas das metas que caíram na fábula da virada do ano e que acabaram engolidas pelo monstro do dia a dia:

_____

_____

_____

_____

Talvez você tenha respondido à questão anterior ou simplesmente tenha seguido adiante na leitura. Deixe-me explicar por que você está de parabéns se tiver respondido ou, caso não o tenha feito, por que deve voltar e responder antes de seguir em frente.

Neste primeiro momento, preciso apenas que você compreenda e acredite que este livro é um método completo, testado e comprovado por diversas pessoas, e que cada passo e exercício contido nele foi meticulosamente desenvolvido para produzir o maior e melhor resultado possível. À medida que você avançar as páginas, vai entender com clareza a razão e a importância de preencher todos os exercícios e, mais do que isso, verá que todas as peças deste livro vão se juntar perfeita e completamente.

Cada anotação dessa tem uma razão específica, e com frequência voltaremos a algumas delas, outras surgirão e se conectarão entre si mais para a frente.

Então, certifique-se de que você registrou quais foram suas últimas metas pessoais, profissionais ou financeiras que foram iludidas pela fábula da virada do ano e depois destruídas pelo monstro do dia a dia.

E só para registrar, eu mesmo caí na fábula da virada do ano por catorze anos seguidos, sempre prometendo para mim mesmo que aquele seria o ano da minha virada de vida, que eu conseguiria deixar o emprego que não me realizava, para então montar um negócio e levar a vida da qual me orgulharia, mas, poucas semanas depois, acabava engolido pelo monstro.

Antes de falar como eu saí dessa armadilha, vou contar como caí nela.

Capítulo 2

A teoria do carro novo e o momento "Tá vendo que não vai dar?"

Quando você acredita que não vai dar, adivinha? Não dá!

Sou filho do Geronimo e da Célia e nasci em Botafogo, no Rio de Janeiro. Meu pai foi taxista e minha mãe datilógrafa, e dormi num colchonete até os 26 anos – em breve, você vai entender por que minha origem é relevante para ter uma produtividade Nível A e para preencher todos os elementos essenciais da felicidade, sobre os quais falei na introdução deste livro.

Cresci ouvindo meu pai dizer que eu seria médico ou advogado, provavelmente por que essas eram as profissões que ele, como pai, via como "bem-sucedidas". O fato é que chegou o momento do vestibular, e eu não gostava de sangue, então, acabei me tornando advogado.

Por causa de três acontecimentos marcantes na minha vida, que posso até lhe contar em outro momento, resolvi que prestaria concurso público. Depois de alguns meses de estudo, fui aprovado e me tornei advogado da União. Bom, parecia que tudo teria um final feliz. Saí da classe C para a classe A da noite para o dia e passei a ter um emprego seguro e bem remunerado, um emprego para o resto da vida. Eu só não contava que a felicidade daquele momento não fosse durar para sempre.

A teoria do carro novo

Deixe-me dar uma pausa aqui na história para falar sobre a teoria do carro novo e por que ela vai ajudar você a compreender diversos momentos na vida em que tudo deveria parecer perfeito, mas na prática tem-se a sensação de que falta algo.

Dentro da nossa realidade e naquele momento da minha vida, o primeiro carro legal que eu e a Paty, minha mulher, conseguimos comprar, foi uma SUV, um utilitário esportivo. Acontece que, depois de duas semanas, Paty e eu entramos no carro, e ela vira-se para mim e diz: "Nossa, este carro está parecendo nosso carro antigo".

Na verdade, ela se referia a um carro popular que, pelo valor financeiro, praticamente qualquer pessoa que trabalhe por algum tempo consegue comprar. Ou seja, nossa SUV, que era o melhor e mais caro automóvel que tínhamos conseguido comprar até aquele momento, havia, muito pouco tempo depois, transformado-se, digamos, em um carro popular.

O mais incrível é que quase tudo na vida vira o "carro novo": automóvel, emprego, apartamento novo, aumento salarial, promoção no trabalho, namorada ou namorado novo, tudo, absolutamente tudo, depois de um tempo, vira esse carro popular.

Bom, agora que você já entendeu a teoria que expliquei, o que aconteceu na prática é que o meu emprego público, em que eu tinha segurança, sofria pouca pressão profissional e recebia um salário de classe A, havia se transformado no meu carro popular, e a cada dia que passava eu percebia que não estava construindo histórias de que sentiria orgulho de contar lá na frente. Meu novo momento social e as conquistas que meu novo salário havia trazido não eram suficientes para superar a falta de desafio e a falta de entusiasmo com o meu trabalho.

Talvez você esteja se perguntando: "Tá certo, Geronimo, mas se tudo vira meu 'carro popular', qual é a solução para uma vida feliz?". Essa é, aliás, uma excelente pergunta, à qual vou responder mais adiante, por ora, só preciso que você entenda a *teoria do carro novo* e que saiba que ela me acertou em cheio; já no primeiro ano como servidor público eu procurava formas de viver pela minha paixão.

O momento "Tá vendo que não vai dar?"

Confesso que, na escola, não fui um exímio leitor de livros, muito pelo contrário, só me lembro de ter lido *O menino do dedo verde*, de Maurice Druon, e que só sei o nome do autor porque acabei de pesquisar no Google exatamente agora enquanto escrevia este trecho do livro. Não que eu me orgulhe disso, mas é a pura verdade.

O tempo passou até que li o primeiro livro que de fato chamou minha atenção, que me tocou, mudou minha forma de ver o mundo e acendeu em mim, de modo indescritível, a vontade de empreender. Trata-se do livro *Pai rico, pai pobre*, de Robert Kyosaki, que, como um marco na minha vida, me fez tomar a decisão de me tornar empreendedor, embora eu tenha uma concepção diferente de empreendedorismo da que tradicionalmente é usada.

E só para ter a certeza de que estamos falando a mesma língua, é importante que você saiba que eu considero **empreender** sinônimo de **remunerar sua paixão**. Então, para mim, empreendedor é todo aquele que, de uma forma ou de outra, consegue remunerar a própria paixão, seja como dono de um negócio seja trabalhando para alguém. Eu precisava empreender e, como advogado da União, sentia-me o oposto de tudo o que eu queria para a minha vida. Havia muito conforto financeiro, mas pouca realização.

Agora você já entendeu minha situação. Meu emprego público com salário acima da média brasileira tinha virado meu carro novo, mas eu não estava feliz, não estava construindo histórias de que me orgulharia de contar lá na frente.

Aqui, preciso fazer um alerta: pode ser que sua história não tenha nenhuma relação com a minha, pode até ser que seu objetivo seja passar num concurso público, em vez de pedir exoneração de um, como eu fiz, mas o importante é compreender que, de um jeito ou de outro, somos muito parecidos.

Isso porque, se você está lendo este livro, com certeza quer aprender a realizar mais, em menos tempo e ter mais felicidade, quer aprender como vencer a procrastinação para fazer de modo consistente aquilo que sabe que tem de ser feito ou mesmo quer descobrir como produzir melhor, somente para fazer o que você já faz, porém em menos tempo e com mais equilíbrio na vida.

O tempo foi passando e a cada ano, que eu acreditava que seria o último no emprego público, eu era consumido pelo monstro do dia a dia, nada mudava, a confiança foi acabando e a ansiedade aumentando substancialmente — só para você ter uma ideia, cheguei a tomar remédio ansiolítico, tarja preta, por mais de um ano.

Naquela época, meus filhos gêmeos, João e Carol, já tinham nascido, e meu sentimento de responsabilidade tinha ficado ainda maior. Se já era difícil abandonar um emprego público concursado sendo solteiro, imagine casado e com dois filhos.

Mas tudo bem, quando chegava o fim do ano minhas esperanças eram renovadas, tanto que tentei de várias maneiras sair do serviço público. Tentei ser jogador de pôquer profissional, fundei uma rádio on-line para narrar os jogos do Botafogo, abri uma locadora de filmes com a Paty, gerenciei um site de Direito e tomei várias outras ações para sair do meu emprego.

Contudo, naquela época eu não tinha o método certo de produtividade da Academia da Produtividade. Saía fazendo as tarefas de maneira aleatória ou, no máximo, criava uma lista de atividades e procurava priorizá-las a cada dia. Hoje, olhando para trás, concluo que não ter um método adequado de produtividade, ou não usar nenhum, foi um dos meus maiores erros.

O que acontecia na prática é que quase todos os projetos até davam certo no início. Eu começava bem, vinha a sensação que tinha encontrado a forma de viver que eu sempre quisera, porém, quando começava a ter os primeiros resultados, o que vinha em seguida era que continuar advogado da União e seguir uma segunda atividade ficava pesado demais.

Começava a parecer que tudo o que eu tinha para fazer não ia caber no meu dia: trabalhava cada vez mais horas e quanto mais eu trabalhava mais surgiam coisas para fazer e quanto mais tarefas apareciam mais cansado ficava e menos produzia.

Até que sempre chegava o mesmo momento, em que eu dizia para a Paty: "está vendo que não vai dar?". Estava me referindo ao volume de tarefas que tinha de fazer e que, com a baixa qualidade da minha produtividade sem o método certo, ficava a sensação de que mais uma vez não daria para fazer a transição do serviço público para minha vida de empreendedor.

Não sei quanto você está atento a isso, mas quando a gente pensa que não vai dar, adivinha? Não dá mesmo! E era exatamente o que acontecia comigo; eu dizia que não conseguiria deixar aquela vida para construir histórias verdadeiramente incríveis, eu me desesperava, produzia menos ainda, até que abandonava a segunda atividade e voltava para o martírio do meu dia a dia, que era o modo como me referia ao meu trabalho no serviço público.

E lá estava eu, de novo, esperando chegar a nova fábula da virada do ano.

Em situações normais, descartando doenças e outras causas externas imprevisíveis, existem duas únicas razões específicas para que uma pessoa não consiga realizar 100% de tudo aquilo que ela quer para a vida, e entre essas pessoas incluo-me e a você também:

36 Geronimo Theml

○ **Razão 1:** deixar de fazer ou adiar aquilo que sabe que precisa ser feito, para dar prioridade a tarefas menos importantes ou que até parecem importantes naquele momento, mas que depois se percebe que não levaram a lugar nenhum.

○ **Razão 2:** ter atividades e tarefas demais para executar, o que faz o dia não caber nas 24 horas.

A primeira razão, deixar de fazer ou adiar aquilo que precisa ser feito, mascara tarefas irrelevantes, transformando-as em tarefas importantíssimas. Funciona mais ou menos assim: a pessoa se prepara para fazer algo muito importante, que já vinha adiando há alguns dias, mas que enfim conseguirá executar. Pode ser escrever um artigo, fazer aquele trabalho de faculdade, concluir um relatório importante ou uma tarefa do trabalho, resolver um problema pessoal, iniciar um projeto, mas justamente na hora que ela senta para pôr as mãos na massa, ela se lembra de que para fazer aquilo é FUNDAMENTAL, antes, organizar as gavetas do escritório, as quais nunca incomodaram, ou limpar as caixas de e-mail, inbox do Facebook, mensagens do WhatsApp.

É como se existisse uma fila de tarefas que precisam ser feitas, muitas das quais não são tão relevantes. São atividades que apenas ocupam seu tempo, e, em meio a elas, também existem outras que são importantes para alcançar aquilo que você quer para sua vida – falaremos de tarefas de ocupação e de produção mais adiante – e conforme você vai resolvendo aquilo que é menos relevante, a fila vai andando e uma hora, por fim, chega o momento de executar aquela tarefa importante, mas nesse momento você transfere essa atividade importante para o final da fila e continua a fazer aquilo que não leva a lugar nenhum.

Por mais que a designação possa soar feia, priorizar tarefas menos importantes em vez daquelas que de fato deveriam ser executadas é a mais pura procrastinação. Os procrastinadores crônicos são aqueles que passam o dia completamente ocupados, mas com coisas que não são as que de fato os levam a conquistar os elementos essenciais da felicidade.

E o pior nesse caso é que o procrastinador fica até mais cansado do que uma pessoa que tem o Nível A de Produtividade, pois ele passa o dia tão ocupado que sequer vê os resultados acontecerem.

Antes que você se sinta culpado por não ter atingido a potencialidade máxima dos quatro elementos essenciais da felicidade, por não ter ainda realização pessoal, realização profissional, realização financeira e equilíbrio, permita-me explicar que a culpa não é sua – bom, pelo menos não era – até você ter acesso ao que vou lhe mostrar neste livro.

Existem duas causas principais que impediram você de ter um nível A de concentração e foco para realizar, dia após dia, sem procrastinar, aquilo que sabe que tem de ser feito.

A primeira causa para o ser humano ter dificuldade clara de focar e manter a concentração no que realmente importa, abrindo mão do que não deveria ser feito para conquistar algo relevante para sua vida, pode ser encontrada na genética.

Um estudo publicado no jornal *Psychological Science*[1] identificou um possível gene da procrastinação. O fato é que nossos ancestrais não tinham o hábito de planejar o futuro e acabavam tendo de tomar frequentes decisões em razão do momento, inclusive para sobreviver.

Nossos ancestrais, por exemplo, saíam para buscar alimento, mas durante o percurso surgia um predador, então, eles tinham de abandonar o plano maior da caça e se concentrar ali no presente, naquilo que se apresentava bem à frente deles, ou seja, na própria proteção e sobrevivência.

Não temos predadores reais na nossa rotina diária da vida moderna, mas a quantidade de distração que surge com propagandas, redes sociais, notificações de e-mails, mensagens de WhatsApp e um monte de outras informações acaba deflagrando o mesmo comportamento pré-histórico, ou seja, deixamos o objetivo principal do dia para nos concentrar naquilo que acabou de "pular" à nossa frente.

---

1. *Exploring the Genetics of "I'll Do It Tomorrow*. Disponível em: <http://www.psychologicalscience.org/index.php/news/releases/exploring-the-genetics-of-ill-do-it-tomorrow.html>. Acesso em: 9 mar. 2016.

A segunda causa da procrastinação e da não realização é que ficar concentrado por muito tempo numa atividade é uma das funções executivas do sistema nervoso central mais difíceis de ser mantida. Ou seja, juntando a tendência genética com a dificuldade natural de se manter concentrado, o resultado final é a dispersão crônica. Na prática, significa dizer que essa combinação acaba fazendo o indivíduo pular de tarefa em tarefa numa velocidade nada benéfica, consumindo a produtividade e dando a sensação de que o dia voou e que ele não fez nada. Você percebe que existe uma lógica e um padrão no comportamento das pessoas em geral?

A Razão 2 para o monstro do dia a dia destruir sempre a fábula do ano-novo é o fato de o indivíduo ter atividades e tarefas demais para realizar, a ponto de o dia não caber em 24 horas.

Eu mesmo vivi muitos dias assim. Acordava cedo, trabalhava focado, respondia a dezenas de e-mails, incontáveis mensagens de WhatsApp, retornava ligações, pagava contas, levava meus filhos à escola, mal tinha tempo para almoçar e muitas vezes sequer me lembrava de beber água.

Naquela época, o fato de pensar em acrescentar algo novo à minha rotina era simplesmente desesperador. Sempre que alguém me dizia que tinha algo ou algum projeto ou curso que era minha cara eu nem queria ouvir. Afinal, eu não daria conta mesmo.

Lembro-me de dias e mais dias em que o telefone tocava e eu não tinha coragem sequer de verificar de quem era o número, pois sabia que teria de atender e parar de fazer as tarefas que mal cabiam na minha rotina.

Aqui, lembro-me de quando jogava tênis com um amigo, no Rio de Janeiro. Nós éramos de fato ruins naquilo. Até que um dia apareceu um professor de tênis e ofereceu uma aula gratuita. Eu aceitei e, naquela primeira aula, a única coisa que o professor ensinou foi como bater na bola.

Eu precisava olhar para a bola, apontar para ela com a mão que estava livre, bater na bola com a raquete no momento em que ela chegasse na altura de minha cintura e depois completar o movimento com a raquete até o ombro oposto. Aquilo foi tudo o que aprendi naquele dia, mas foi o suficiente para ganhar do meu amigo na partida seguinte sem a menor dificuldade.

A diferença entre nós dois é que eu tinha um método de bater na bola e ele não.

É isso o que acontece com quem leva a vida sem dominar um método para produzir com Nível A de produtividade; tentar fazer com que todas as tarefas caibam em um dia sem ter uma técnica adequada para isso é exatamente como tentar jogar tênis sem nunca ter aprendido a acertar a bola.

Não sei a razão pela qual você está lendo este livro e o que quer alcançar que ainda não tenha conseguido, mas posso afirmar sem medo de errar que, se ainda não chegou lá, foi por estar com coisas demais para fazer e não conseguir estruturá-las ou porque tem coisas de menos, mas não consegue evitar de procrastinar na hora de fazer o que deveria ser feito. Essas duas razões representam 100% dos alunos que passaram pela Academia da Produtividade, e elas são os grandes destruidores da realização.

Pare por um instante e, com honestidade, avalie as metas que você ainda não atingiu, provavelmente aquelas mesmas que anotou no exercício anterior. A seguir, marque um "X" na razão pela qual ainda não conseguiu realizar suas metas. Se não tiver uma resposta exata, escolha a opção que se aproximar mais da sua realidade:

( ) Até começo bem, caminhando na direção de concretizar o que quero para a minha vida, mas depois de um tempo acabo deixando de fazer aquilo que sei que tenho de fazer, adiando o que deveria ser feito, priorizando de maneira errada algumas tarefas do meu dia a dia e as coisas acabam não acontecendo como deveriam.

( ) Tenho atividades e tarefas demais para executar, tanto que as 24 horas do dia parecem insuficientes, a ponto de não conseguir fazer aquilo que sei que deveria fazer para alcançar meus objetivos, ou seja, até tento, mas não dá tempo.

( ) As duas razões acima contribuem de modo direto para eu não ter, exatamente agora, o que eu gostaria para a minha vida.

É claro que existem técnicas para treinar sua mente e seus hábitos para driblar as tendências naturais de procrastinar o que deveria ter sido feito, bem como de gerenciar as tarefas que parece que vão engolir você, para finalmente ter um Nível A de produtividade. Vamos entrar nesses detalhes já a partir do próximo capítulo.

Capítulo 3

Se fosse fácil, todo mundo faria

Eu não aguentava mais dizer para mim mesmo que não ia dar. Precisava dar um basta naquilo e entender que o que tinha me levado até ali não me levaria para o próximo nível; afinal, se fosse fácil, todo mundo faria.

Naquele momento, eu já havia tentado praticamente de tudo para deixar meu emprego público, mas sempre esbarrava em algo mais forte, que me impedia de alcançar meu objetivo de vida. Confesso que já estava me convencendo a aceitar que não daria certo mesmo.

Até que, no dia 30 de dezembro de 2011, eu estava na cozinha da minha casa conversando com a Paty, pensando em como seria o ano seguinte e em que a fábula da virada do ano me faria acreditar dessa vez. Foi quando tive a ideia genial, que, na verdade, parecia tão genial quanto todas as outras pareceram no primeiro momento.

Meus amigos me diziam que eu falava bem, que era animado e que ajudava muito as pessoas a ser melhores, foi quando decidi que seria palestrante motivacional. Fiquei tão animado que corri para o computador e fui providenciar meu currículo de palestrante motivacional —

eu achava que palestrante tinha de ter um currículo – então, fui digitando lá: professor de Direito, mestre em Direito, autor de dois livros em Direito, participou de dezenas de congressos em Direito... Foi então que parei e pensei: "Caramba, ninguém vai querer assistir a uma palestra motivacional de um cara desse, e o pior, o cara ainda se chama Geronimo".

Ficou claro para mim que eu precisava melhorar meu currículo, então fui pesquisar na internet e achei um curso de coaching. Vi que em cerca de seis meses já estaria formado e que poderia agregar esse conhecimento à minha formação. Assim foi feito, eu me inscrevi no curso e, em maio de 2012, entrei na sala de aula e a mágica aconteceu. Depois de trinta minutos ouvindo minha instrutora, tive certeza de que era aquilo que eu queria fazer para o resto da minha vida.

O único problema é que eu já fracassara em todas as minhas tentativas anteriores e confesso que minha autoconfiança já estava bastante enfraquecida. Naquele momento, resolvi parar e olhar para o que vinha fazendo de errado. Precisava virar o jogo, não queria morrer advogado da União e, mais do que isso, não tinha condições de errar mais uma vez.

Minha situação era a seguinte: eu tinha um emprego público de quarenta horas semanais, um casal de gêmeos com 2 anos, nenhum dinheiro guardado no banco, ajudava financeiramente minha avó, mal tinha tempo de cuidar da minha saúde, mas ainda tinha um problema maior: eu havia me convencido de que não ia dar e, como já disse, quando você acredita que não vai dar, não dá mesmo.

Eu já conhecia aquela história. No começo tudo vai bem, eu cresceria como coach e, em algum momento, voltaria a me sentir assoberbado, as tarefas começariam a não caber no dia e, de modo inevitável, chegaria o dia derradeiro em que diria para a Paty: "Tá vendo que não vai dar?"

A primeira vitória que tive de conquistar foi ressignificar aquilo para minha vida, então, entendi que não seria fácil, aliás, poucas coisas incríveis são verdadeiramente fáceis de conseguir. Então criei uma frase de força para mim, que é: "Se fosse fácil, todo mundo faria".

Dali para a frente, todas as vezes que enfrentava alguma dificuldade, em vez de pensar: "Tá vendo que não vai dar?", dizia para mim mesmo: "Está tudo certo, porque, se fosse fácil, todo mundo faria."

Fortalecido pela nova crença que acabara de estabelecer, li muitos livros sobre produtividade, como fazer as coisas caberem no meu dia, como realizar o que tinha de ser feito e como parar de procrastinar. Apliquei vários métodos à minha vida, testei softwares e ferramentas on-line para gerenciar tarefas, e confesso que num primeiro momento as coisas até que de fato melhoraram, mas não tardou muito para que voltasse a me sentir engolido pelo dia a dia.

Na época eu não sabia, mas hoje entendo que existem cinco níveis de realização que vão de "A" até "E", dos quais o Nível A é o melhor e o Nível E, o pior. O nível de produtividade e realização não está ligado somente à quantidade de tarefas que uma pessoa consegue cumprir ou ao esforço dela (quanto isso traz de sacrifício), e sim a relação entre o esforço que faz e os resultados que obtém – ou seja, você mede sua produtividade por uma relação de comparação entre esforço e resultado. Vamos falar mais disso em breve.

Por mais que eu me esforçasse, por mais que aplicasse os métodos de produtividade, no máximo alcançava o Nível C de produtividade.

A partir daí, percebi dois pontos claros que faltavam na maioria dos métodos que eu tinha testado até então. Identifiquei que existiam algumas verdades absolutas sobre produtividade que eram, em certa medida, deixadas de lado.

Depois de atingir o melhor Nível de produtividade, comecei a ter meus primeiros clientes em coaching. Naquele momento, eu trabalhava atendendo em terças e quintas, à noite. O movimento foi aumentando, eu já quase não tinha mais horário de almoço, porque precisava atender naquele período para conseguir gerenciar todos os clientes que me procuravam.

E adivinha qual foi o pensamento que me veio? "Caramba, parece que não vai dar de novo!". Entretanto, eu já havia aprendido a lição, e rapidamente pensei: "Se fosse fácil, todo mundo faria!". Ainda assim, porém, continuei trabalhando, buscando compreender o que ainda não estava perfeito no meu método de produzir e no meu nível de realização.

Descobri outras verdades que não havia percebido antes, até que cheguei ao número final de oito verdades absolutas sobre produtividade.

Outro aspecto que descobri durante meus estudos e testes é que produzir não é apenas fazer listas, saber priorizar as tarefas e ticá-las quando forem concluídas. Para de fato realizar o que tem de ser feito sem adiar nem se sentir engolido pela vida, existem quatro pilares que precisam ser construídos, e, se faltar um deles sequer, todos os outros desmoronam.

E antes que você pergunte: "Certo, Geronimo, e quais são as oito verdades e os quatro pilares, porque eu já estou curioso e não aguento mais esperar?", preciso avisar que vamos falar deles em detalhes nos capítulos seguintes.

Por ora, só quero que você entenda que finalmente eu tinha descoberto um método de fazer as coisas acontecerem, sem adiar o que tem de ser feito, sem me sentir engolido pela vida.

Ao utilizar as oito verdades absolutas e os quatro pilares da produtividade Nível A, tive a oportunidade de continuar crescendo como coach, que era a profissão pela qual eu tinha e tenho paixão. Minha agenda de clientes pagantes começou a ficar lotada, passei a ter fila de espera de quase cinco meses e fui aumentando de modo gradativo o valor do meu pacote de coaching.

Na verdade, as coisas não pararam por aí. No meio do caminho, ainda advogado da União e coach com a agenda lotada, encontrei tempo para fazer um treinamento de como ter um empreendimento digital, que foi quando aprendi a levar minha mensagem para muito mais pessoas do que vinha conseguindo fazer pessoalmente. Pouco tempo depois, eu trocaria a venda do meu tempo pela venda do meu conhecimento.

Depois de tantas realizações, por fim chegou o momento com que eu vinha sonhando por quase catorze anos. Chegou o instante em que a fábula da virada do ano não havia sido destruída pelo monstro do dia a dia.

Era o dia 12 de setembro de 2014. Paty e eu saímos de casa, pegamos nosso carro em Vila Velha, Espírito Santo, e dirigimos até Vitória, uma cidade vizinha separada por uma ponte de pouco mais de 3 quilômetros, onde ficava o órgão da Advocacia-Geral da União em que eu trabalhava. Enquanto dirigia pela ponte, um filme passava pela minha cabeça.

Sinceramente, não me lembro de nenhuma palavra que eu tenha dito durante a travessia até chegar ao órgão público, e olha que eu falo muito. Nem sei dizer se fiquei mesmo em silêncio ou se apenas não consigo me lembrar do que eu disse naquele dia.

O fato é que cheguei à sala onde trabalhei por anos, liguei o computador e comecei a digitar a minha carta de exoneração. Como já contei, minha esposa estava comigo e resolveu gravar aquele momento. É um vídeo muito pessoal, relutei durante muito tempo, perguntando-me se deveria mostrá-lo ou não publicamente, mas os amigos mais próximos insistiram, dizendo que ele inspiraria muitas pessoas, então, resolvi mostrá-lo a você.

Se quiser assistir ao vídeo, é só acessar o endereço eletrônico a seguir ou fazer a leitura do código QR. Só lhe peço que, se for para compartilhar, faça-o apenas com as pessoas que você acredita que vão se inspirar também a ter uma vida extraordinária, que acreditam que a vida pode ser mais, pessoas que assim como você estão determinadas a construir histórias de que terão orgulho de contar.

https://livros.geronimo.com.br/momento-da-virada-geronimo

Pedi exoneração em 12 de setembro de 2014, o processo caminhou e oficialmente no dia 22 de setembro daquele mesmo ano, depois de catorze anos, deixei de ser servidor público para vivenciar a minha paixão. O que muita gente não sabe é que minha situação financeira não tinha mudado tanto em relação há poucos meses antes.

Se antes eu não tinha dinheiro nenhum guardado, agora tinha conseguido juntar o equivalente a apenas oito meses de salário como advogado da União. Ou seja, eu tinha esse tempo para conseguir remunerar minha paixão na quantia que precisava para manter minha família nas mesmas condições de antes.

A grande diferença não estava na minha conta bancária, até porque ela praticamente não tinha crescido. A mudança mais significativa estava dentro de mim, agora eu trabalhava pela minha paixão e, mais do que isso, tinha um método para produzir com um Nível A de realização.

Contudo, o mais incrível aconteceu mesmo nos meses seguintes à minha saída do emprego público. Nossos negócios cresceram numa velocidade estrondosa e nós, como família, nunca tínhamos tido tantos momentos de lazer e felicidade. Em menos de um ano e meio depois da minha exoneração, eu já tinha viajado três vezes para o exterior, e, numa dessas viagens, passei 22 dias com minha família conhecendo a Disney e outros parques da região da Flórida, nos Estados Unidos.

Nesse momento, parei, olhei ao redor e constatei algo. Entre diversos amigos e pessoas, vi que ou eles tinham sucesso, mas não tinham tempo, ou tinham tempo, mas não tinham sucesso. Na verdade, havia ainda um terceiro tipo, que era o pior de todos: pessoas que não tinham nem tempo nem sucesso.

Até então eu só havia usado o método de produtividade Nível A de realização para mim, mas precisava saber se ele serviria para qualquer outra pessoa. Foi quando ensinei o método para a Paty e para os colaboradores da minha empresa. O resultado entre eles foi tão incrível que tive a certeza de ter criado um método, com menos esforço, para produzir o dobro do resultado e ter muito mais felicidade. Um método de que eu mesmo poderia me beneficiar, assim como qualquer outra pessoa poderia, e a qualquer momento. Esse método faria o indivíduo produzir com o Nível A de realização, acelerando o processo para conquistar os quatro elementos essenciais da felicidade, que já sabemos, são realização pessoal, realização profissional, realização financeira e total equilíbrio em todas as áreas da vida (caso você ainda esteja perdido sobre o que sejam os quatro elementos essenciais da felicidade, volte à introdução do livro).

Hoje, exatamente agora, enquanto escrevo este livro, sinto-me completo como pessoa, tenho um trabalho apaixonante, atuo como coach e empresário digital, consigo ter todos os bens materiais de que preciso, já fiz e levantei nos últimos meses mais doações do que havia conseguido ao longo dos meus 40 anos de vida antes do meu momento atual. Em relação ao equilíbrio, há partes deste livro que foram escritas na minha casa; na casa dos meus pais no Rio de Janeiro; em São Paulo, onde fui palestrar e almocei com o Roberto Shinyashiki; em Itajaí, na casa dos meus primos, Mônica e Fernando; em Florianópolis, na casa do Rodrigo Cardoso, onde eu, a Paty e meus filhos surfamos (literalmente) pela primeira vez, e é bem possível que eu esteja esquecendo de algumas aventuras pelo meio do caminho.

E o mais importante de tudo, continuei atendendo como coach e a empresa continuou crescendo.

Entendi que tinha um método e resolvi compartilhá-lo com o maior número possível de pessoas, então criei a Academia da Produtividade, um treinamento totalmente on-line em que ensino os alunos a ter um Nível A de produtividade, o qual eu mesmo atingi.

Para não ficar aqui páginas e páginas mencionando as centenas de pessoas que passaram pelo programa, vem à minha mente a história da Rosana[2], casada, mãe de dois filhos que cresciam muito mais depressa do que ela gostaria, porque, na prática, ela trabalhava fora o dia inteiro e não conseguia acompanhar o dia a dia ou participar de pequenos e grandes momentos deles, e isso fazia com que ela sentisse como se o tempo estivesse escapando de suas mãos. O volume de tarefas da Rosana era tão grande que ela ficou oito anos sem tirar férias com a família, no dia a dia não tinha tempo para si mesma e se sentia completamente engolida pela vida.

---

2. As histórias contadas não são necessariamente reais, entretanto, todas as conquistas mencionadas são de alunos do programa da Academia da Produtividade, contadas com nome fictício.

Rosana se sentia numa prisão porque, por um lado, precisava trabalhar para complementar o orçamento da casa e, por outro, tinha o peso da culpa de não estar vendo seus filhos crescerem, de perceber que se continuasse daquele jeito acabaria tendo um problema de saúde. Então, ela resolveu dar um basta naquilo e passar a se beneficiar do que ensino neste livro.

Em pouco tempo entendeu as causas de sua exaustão e percebeu que ela mesma criava uma rotina da qual não conseguiria dar conta, a partir de suas crenças sobre o que deveria ser e fazer. Depois de aplicar as oito verdades da produtividade em sua rotina, ela conseguiu voltar a frequentar as aulas de yoga, parou, sem esforço, de tomar refrigerantes, foi abrindo espaço na agenda e conseguiu criar a noite do casal, na qual consegue tempo de qualidade com o marido. Recentemente, postou no grupo da comunidade da Academia uma foto com a família numa praia paradisíaca, com pessoas que não via fazia mais de quinze anos.

E o caso dela não é isolado, há alunos que pararam de tomar remédio tarja preta para ansiedade, que tiraram seus projetos da gaveta e criaram seus negócios, passaram a sair duas horas mais cedo do trabalho e continuaram tendo a mesma produtividade profissional. Há, ainda, pais que voltaram a ter tempo de ficar com seus filhos sem comprometer a empresa, e esses são apenas alguns casos de um universo de incontáveis resultados.

É disso que nós vamos falar nas próximas páginas, é isso que vou ensinar a construir na sua vida, os segredos das oito verdades absolutas sobre produtividade e como construir os quatro pilares da produtividade para ter um Nível A de realização em todos os campos da sua vida.

Se você compreender que vale a pena aprender a se livrar da procrastinação e dominar as tarefas do dia a dia para não se sentir engolido pela vida, aprender um método testado por milhares de pessoas para ter realizações numa velocidade que talvez você nunca tenha experimentado antes, que vale a pena entender que se fosse fácil, todo mundo faria, enfim, se tudo isso valer a pena, vou ter prazer de esperar você no próximo capítulo.

Capítulo 4

A mentira antes das verdades e os níveis de produtividade

"Insanidade é continuar fazendo sempre a mesma coisa e esperar resultados diferentes."
Frase atribuída a Albert Einstein

A mentira da divisão pessoal e a teoria do equilíbrio dos papéis da vida

Nunca leve nada do seu trabalho para casa, nem leve seus problemas pessoais para o trabalho. Certo, entendi, mas como faço isso? Antes de chegar ao trabalho, passo por uma máquina desfragmentadora de moléculas, que faz a filtragem das minhas moléculas pessoais e as deixo num saquinho na entrada da empresa? E quando chegar em casa coloco-as de novo em mim e faço o processo inverso para filtrar as moléculas profissionais?

Você e eu somos seres humanos únicos e inteiros e levamos conosco todas as nossas memórias e experiências boas e ruins, especialmente aquelas do dia, ou seja, pare de contar a mentira de que você precisa ser duas ou três pessoas diferentes, isso não existe. Não somos uma máquina que pode se reiniciar a cada etapa do dia. Somos seres integrais e o que precisamos fazer é aprender a lidar com o todo, com todos os papéis que exercemos na nossa vida.

Como padrão, qualquer um de nós exerce diversos papéis na vida, por exemplo, eu exerço o papel de pai de João e Carol, filho do Geronimo e da Célia, marido da Paty, membro da minha família, bem como da família da minha esposa, amigo, vizinho no prédio em que moro, empresário da Full Ideias, escritor de livro, blogueiro, produtor de vídeo, membro da sociedade em que vivo, brasileiro, pessoa individual, professor da Academia da Produtividade e do Programa Profissão Coach, entre tantos outros papéis que eu poderia seguir citando aqui. Você também exerce muitas dessas funções e com certeza há algumas específicas da sua rotina que não necessariamente eu exerço.

Cada um desses papéis que exercemos tem funções específicas no dia a dia. Como pai, levo meus filhos à escola, faço uma leitura com eles à noite. O sábado é o dia mundial da farra, mas como empresário também preciso cumprir diversos compromissos, e por aí vai.

Então, na prática, cada um de nós é uma pessoa única, que exerce vários papéis na vida e em cada um desses papéis exerce várias funções. Certo, mas o que isso tem a ver com o Nível A de produtividade? É que um dos grandes segredos sobre produtividade é conseguir desenvolver os papéis que vão lhe fazer construir a vida dos seus sonhos, mas, ao mesmo tempo, mantendo todas as outras funções equilibradas. Vamos aprender a fazer isso neste livro.

O que acabo de dizer está bem claro para mim no caso do Marcelo e da Katia, um casal com a mesma idade. Ele tinha um emprego seguro, mais de doze anos na mesma empresa, estável e com um salário acima da média, e a Kátia era advogada, porém ambos eram infelizes com o que faziam. Até que, aos 39 anos, o casal decidiu empreender. Os desafios que eles tinham de enfrentar eram manter dois filhos na escola, as prestações do apartamento e do carro para pagar e um empréstimo que tinham feito para poder viajar para o exterior alguns meses antes.

Então, a decisão deles foi a de que ela largaria a atividade de advogada, que já não caminhava muito bem mesmo, e os dois abririam um negócio mantendo o emprego do Marcelo. Foi aí que os problemas começaram de vez. Eles só tinham um carro em casa e os filhos estudavam em escolas diferentes e em horários diferentes. Marcelo precisava trabalhar para manter a casa e ainda fazia turno extra para ajudar na lojinha em que Katia trabalhava praticamente sozinha o dia todo.

E, para piorar, era evidente que os dois oscilavam entre os Níveis D e E de produtividade, pois tinham muitos sonhos, mas eram pouco equipados para lidar com esses sonhos que precisavam perseguir.

Na prática, por completa falta de método para produzir da maneira correta, começaram a dar muita atenção ao papel profissional e, de modo incorreto, foram deixando de lado os papéis de pai e mãe, marido e mulher, especialmente Marcelo, que diminuiu o cuidado consigo mesmo e deixou a saúde e a alimentação desandarem. A consequência foi clara e cruel. Ele engordou, os filhos começaram a sentir a falta dos pais. A filha mais nova, que não devia ter mais do que 5 anos, fazia coisas erradas o tempo inteiro, tornou-se muito difícil de lidar, porque clamava por atenção, e o filho mais velho, que tinha 16 anos, acabou exercendo o papel de pai da irmã mais nova diversas vezes, cuidando dela, levando-a para a escola e ajudando-a nos trabalhos de casa.

Em pouco tempo, o filho, que sempre foi equilibrado, tranquilo, organizado e se destacava na escola, começou a tirar notas ruins, passou a esquecer tarefas simples e mudou por completo seu comportamento.

O que é absolutamente claro nessa história é que os papéis de Marcelo e Katia se desequilibraram e o dano veio em cascata; o filho mais velho precisou assumir alguns papéis que os pais estavam deixando de lado e a família começou a desmoronar.

O fato é que, mesmo que eles conseguissem ter sucesso no papel de empresários, será que teria valido a pena diante de tudo o que estava ficando para trás no decorrer do caminho? Claro que a resposta é não, mas não precisa ser assim, existe uma forma de conquistar o que se quer, mantendo todos os papéis equilibrados ao longo da trajetória até o sucesso.

Desdobramentos das Tarefas de Ocupação e das Tarefas de Produção

Até agora já entendemos que cada um de nós exerce diversos papéis na vida, e que cada um desses papéis abrange funções, que, por sua vez, tornam-se as tarefas que precisam ser feitas no dia a dia.

Cada tarefa pode ser classificada no grupo das Tarefas de Ocupação ou das Tarefas de Produção:

1. **Tarefas de Produção:** são aquelas que levam você na direção da construção dos seus sonhos.

2. **Tarefas de Ocupação:** são aquelas que, muitas vezes até precisam ser executadas, mas não fazem a vida progredir na direção daquilo que queremos.

Essas tarefas se subdividem em mais dois tipos. Embora seja um pouco de teoria, essa nova classificação é fundamental para nossos próximos passos.

As Tarefas de Produção se subdividem em:

o Tarefas de **Produção com Margem**
o Tarefas de **Produção sem Margem**

Já as Tarefas de Ocupação se subdividem em:

o Tarefas de **Ocupação Obrigatórias**
o Tarefas de **Ocupação Dispensáveis**

Explicando a partir das últimas, as Tarefas de **Ocupação Dispensáveis** são as que mais roubam a produtividade e que sequer precisavam ser feitas, como, por exemplo, assistir à televisão, em especial a novelas e telejornais que só trazem tragédia, navegar aleatoriamente em redes sociais, ler e-mails inúteis, participar de rodinhas de fofocas que só trazem energias ruins, participar de diversos grupos de WhatsApp que não agregam nada à sua vida e uma série de outras tarefas que tenho certeza que você vai conseguir identificar sozinho com base nas referências que acabei de listar.

Já as Tarefas de **Ocupação Obrigatórias** são aquelas que, apesar de não o conduzirem na direção de seus sonhos, precisam ser concluídas. É o caso de contas que têm de ser pagas, da revisão do carro, de consultas médicas e algumas atividades profissionais que não são tão produtivas, mas que ainda assim precisam ser feitas.

As tarefas de produção podem ser com margem e sem margem. Embora as duas o conduzam na direção daquilo que você quer para a sua vida, a diferença entre elas é o sentimento que se tem quando elas são cumpridas.

Embora os nomes sejam praticamente autoexplicativos, tarefas de produção sem margem são aquelas importantes para concretizar seus sonhos, mas a conclusão delas acontece quase no limite do prazo ou até depois do vencimento deste.

Quando são concluídas o sentimento é: "Uuuuufa... ainda bem que terminei!", e aí a pessoa já começa a pensar na próxima tarefa sem margem. E essa rotina de pular para a próxima tarefa sem margem sem interrupção faz com que sequer haja tempo de curtir os méritos daquela realização. Você cumpriu uma tarefa rumo aos seus sonhos, mas a sensação é a de que apagou um incêndio e ainda precisa correr para o próximo.

No entanto, quando se conclui uma tarefa com margem o sentimento é: "Oba! Realizei mais um passo na direção dos meus sonhos!".

Se pensarmos num trabalho de conclusão de curso na faculdade, que é uma típica tarefa de produção para quem quer se formar e garantir o diploma, entregar ou terminar o trabalho antes do prazo, ou seja, concluir uma tarefa de produção com margem, "Oba!" é motivo de comemoração, dá um sentimento incrível de realização. Assim, você terá margem para ajudar algum amigo que precise ou apenas para aproveitar esse período da maneira que bem quiser, iniciando a próxima tarefa sem pressão.

Ainda sobre o trabalho de conclusão de curso, se a pessoa deixar para a última hora, sem margem, o máximo que ela vai sentir é o alívio de ter terminado, aquele: "Uuuuufa... ainda bem que terminei!".

Da mesma forma que as tarefas de produção sem margem são as maiores geradoras de estresse, as tarefas de produção com margem são aquelas que mais geram resultado e satisfação quando concluídas.

Os níveis de produtividade

Todo mundo pode ser enquadrado em um dos cinco níveis de produtividade, que, como já disse, possuem uma escala, que parte no Nível A, que é o melhor, chegando ao Nível E, o pior deles. O nível de produtividade não está relacionado apenas aos resultados alcançados, pois leva em consideração a relação entre o esforço empregado e os resultados obtidos.

Na prática, um dos cenários mais comuns de produtividade funciona assim: a pessoa se enche de tarefas de ocupação obrigatórias, aquelas que precisam ser feitas, mas que não as leva em direção à realização de seus sonhos e, com isso, ela pensa que está produzindo, mas na verdade só está se ocupando mais, e vê os dias passarem à sua frente sem que nada em sua vida mude.

Esse indivíduo vai se ocupando e secando gelo dia após dia.

No pouco tempo que sobra para encaixar as tarefas de produção com margem, essa pessoa está tão cansada que acaba procrastinando e inserindo tarefas de ocupação dispensáveis como, por exemplo, passando o tempo diante da televisão, nas redes sociais e em sites sem uma razão específica. Então, aquelas tarefas que eram para ser de produção com margem acabam virando sem margem, o estresse aumenta, e o nível de produtividade cai ainda mais, gerando um círculo vicioso quase sem volta.

Esse é o típico perfil Nível D ou E de produtividade. Em alguns casos, a pessoa se esforça e não atinge os resultados esperados e, em outros, ela procrastina demais e está sempre adiando aquilo que realmente importa para a própria vida. De modo geral, o procrastinador crônico que passa o dia pulando de tarefa em tarefa, sem resultado e sem grandes esforços, encaixa-se no Nível E. Já o perfil Nível D tende a fazer muitas tarefas, mas praticamente todas são de ocupação e quase nenhuma de produção.

O Nível C de produtividade é um perfil um pouco melhor, de uma pessoa que aplica algumas técnicas mais simples de produtividade, até faz lista de tarefas e prioriza minimamente o que deve ser feito. Tem percepção de que se ocupa mais e produz menos do que deveria.

Aqui existe um perigo enorme. No Nível C de produtividade, o indivíduo normalmente já consegue ter resultados e, por isso, acredita que não precisa produzir melhor. A grande questão é quanto esse indivíduo se esforça para ter aquele mesmo resultado. É mais ou menos como fazer um suco de laranjas com pouco caldo; você vai precisar de muitas laranjas para fazer um único copo.

Em geral, é o típico perfil do **Arrastador de Pedra**, que tem RESULTADO – mas não tem TEMPO. Ou seja, ele tem conquistas, mas o esforço para atingi-las é tão grande, que muitas vezes não compensa. Como já disse antes, normalmente é a pessoa que em algum momento da vida vai se arrepender de ter trabalhado tanto e não ter cuidado da própria saúde ou não ter visto o filho crescer. Costuma usar como desculpa o amor pela própria família para justificar a ausência em casa e a falta de cuidados com a própria saúde em prol do trabalho sem fim.

Já as pessoas com **Nível A ou B de produtividade** possuem resultados visíveis em relação a todos os quatro elementos essenciais da felicidade. Em geral, são indivíduos realizados pessoal e profissionalmente, já conquistaram ou caminham a passos largos para ter diversas realizações financeiras e demonstram equilíbrio nos papéis que exercem na vida.

A diferença básica entre uma pessoa Nível A e uma Nível B é a relação entre o resultado obtido e o esforço que foi necessário para chegar lá. Uma pessoa Nível A de produtividade costuma ouvir coisas do tipo: "Nossa, como você consegue ter uma vida tão boa como essa? Como você consegue tudo o que quer?".

Só para destacar, neste momento não é interessante que você identifique com exatidão cartesiana o seu Nível de produtividade. O mais importante é que entenda quais são eles e qual é o que mais se assemelha à sua situação. Outro ponto que precisamos destacar é que dificilmente alguém se identificará 100% com determinado Nível de produtividade. De modo geral, as pessoas se identificam 80% com um nível e 20% com outro, prevalecendo aquele de 80%.

No meu dia a dia, atuo 80% no Nível A de produtividade e tenho meus 20% no Nível B, e tudo bem. Afinal, são os 80% que ditam em que nível cada pessoa se enquadra.

Olhando para os níveis de produtividade pelo tipo de tarefas realizadas, posso afirmar o seguinte:

- o **Nível E de produtividade:** predominam as tarefas de ocupação, e entre elas ainda há mais atividades dispensáveis que obrigatórias. Quase não são realizadas tarefas de produção e, das poucas que são executadas, essas geralmente são sem margem. Se fizéssemos um gráfico das atividades desempenhadas por um perfil Nível E, veríamos algo como a pirâmide a seguir.

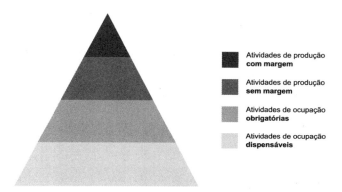

- **Nível D de produtividade:** ainda prevalecem as tarefas de ocupação, mas um perfil Nível D já começa a reduzir as tarefas de ocupação dispensáveis. A base da pirâmide já começa a ficar menor.

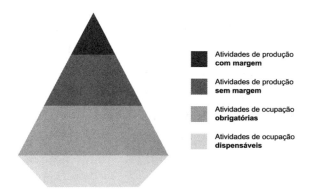

- **Nível C de produtividade:** as tarefas já começam a ficar mais bem distribuídas, e as tarefas de produção praticamente se igualam às de ocupação. Com isso, as tarefas de ocupação que diminuíram abrem espaço para as de produção, mas ainda com um predomínio grande das atividades sem margem.

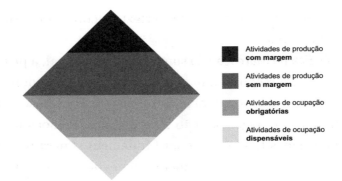

o **Níveis A e B de produtividade:** são praticamente idênticos, como uma pirâmide ao contrário, pois pessoas com esse nível de produtividade já estão conscientes de quais atividades realizar ao longo do dia, e sobretudo estão conscientes daquelas que não devem realizar, porque roubam seu tempo, tomam sua vida produtiva e são as que impedem pessoas de outros níveis de alcançar o resultado máximo que poderiam. Não existe uma diferença clara entre esses níveis, o que acontece é que o Nível B acaba tendo um pouco menos de tarefas de produção com margem do que o Nível A, e essas atividades podem se distribuir em qualquer um dos outros três campos.

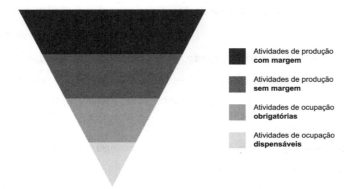

E você, em qual desses perfis se vê atuando nos últimos seis meses? A seguir, marque um "X" na descrição do perfil em que você se percebe e mesmo que não tenha certeza, escolha aquele que se mostrar mais aproximado.

Uma dica na marcação da sua resposta: em geral, a primeira impressão, a primeira resposta que vem à cabeça, é a verdadeira. As que aparecem depois com frequência são o seu cérebro buscando desculpas para mudar para algo que não é verdadeiro. Pessoas muito exigentes consigo mesmas tendem a achar fundamentos para piorar a avaliação e pessoas que são excessivamente benevolentes consigo mesmas fazem o contrário, buscam pretextos para melhorar seu conceito.

No entanto, lembre-se de que não existe avaliação ruim; ruim é a inércia, perceber que não está produzindo adequadamente e permanecer parado, que não é o seu caso. Só o fato de ter chegado até aqui mostra que você está se movimentando, e quem dá um único passo já não está no mesmo lugar.

Agora, diga-me, em que nível você mais operou nos últimos seis meses da sua vida?

( ) **Nível A de produtividade:** minha produtividade foi exemplar. Consegui grandes resultados, com um nível de esforço abaixo da média e, o mais importante, mantive todos os papéis da minha vida equilibrados.

( ) **Nível B de produtividade:** tive grandes resultados, mas tenho margem de melhora, por isso estou aqui.

( ) **Nível C de produtividade:** consegui alguns resultados interessantes nos últimos seis meses, mas o sacrifício foi tão grande que acabei deixando alguns papéis que exerço meio desamparados.

( ) **Nível D de produtividade:** até me esforcei bastante, mas praticamente só me ocupei e não consegui ver avanços claros nos meus resultados.

( ) **Nível E de produtividade:** praticamente sem resultado nenhum, passei meu tempo só cumprindo tarefas dispensáveis.

Os pilares da produtividade Nível A

Todos esses conceitos e mais as oito verdades absolutas sobre produtividade são a base para construir os quatro pilares da produtividade Nível A. A grande inteligência deste método consiste em entender que produzir com qualidade é muito mais do que fazer listas de tarefas, priorizá-las e começar a executá-las. Se fosse só isso, todo mundo produziria em nível máximo.

Produzir envolve, antes de mais nada, a **clareza eficaz**, pois não adianta você aprender a realizar mais se não souber para que está fazendo aquilo. Envolve o **método propriamente dito**, no qual você aprende a organizar seus meses, suas semanas e, o mais importante, aprende a preparar seu dia a dia.

Em contrapartida, vejo muita gente que sabe exatamente aonde quer chegar e que conhece ou estudou algum método de produtividade, mas acaba ficando pelo caminho. Observando mais de perto, percebi que essas pessoas em geral não possuem uma verdadeira **mentalidade vencedora**, o que aliás é fundamental em qualquer conquista da vida, e a boa notícia que já posso dar desde agora é que é possível desenvolver essa mentalidade.

Por último, de que adianta você ter a clareza eficaz, aprender o método inteligente para produzir, ter uma mentalidade forte, mas acordar sem **energia**, cansado, muitas vezes depois de dormir a noite toda?

A má notícia é que a falta de qualquer um desses pilares impede você de chegar ao Nível A. Mesmo que construa três desses quatro pilares, eles vão acabar ruindo e tudo vai cair por terra. Foi justamente por isso que tentei vários métodos, mas nunca havia alcançado de fato o nível de produtividade que tenho hoje.

A boa notícia é que quando você constrói os quatro pilares, eles se fortalecem entre si. Quanto mais clareza eficaz você tiver, mais poderoso o método se torna. Quando se está com a mentalidade vencedora fortalecida, a energia e a clareza aumentam. Se você aplicar o método inteligente ao seu dia a dia, mais sua mentalidade se empoderará!

Então, cada um desses pilares é indispensável para ter um Nível A de produtividade e são eles que vamos construir ao longo do livro. Recapitulando-os:

- Clareza eficaz;
- Método de Produtividade Inteligente;
- Mentalidade vencedora;
- Energias mental e física.

Capítulo 5

Verdades libertadoras sobre produtividade

Sempre que eu tentava produzir mais e com menos esforço, até começava bem, mas acabava ficando pelo caminho e voltando à estaca zero. Hoje, entendo o que era tão simples, mas antes não conseguia enxergar, simplesmente eu não estava respeitando as verdades absolutas sobre produtividade.

Você já se perguntou alguma vez por que ao virar o volante de um carro para a direita ele vai para a direita?

Essa é uma pergunta que provavelmente você nunca se fez, eu mesmo nunca tinha me perguntado isso! De qualquer forma, a resposta parece óbvia, pelo menos se alguém me perguntasse isso eu responderia: "Ora, porque sim!"

Brincadeiras à parte, até aqui não há nenhuma novidade, até porque girar o volante para a direita para que o carro vá para a direita é bastante intuitivo. O mais importante é entender que existe um conjunto de regras, leis, verdades da Física que fazem um carro ir para a direita quando viramos o volante nessa direção.

A terceira lei de Newton diz que para cada ação existe uma reação, e, mesmo que você seja como eu e não tenha muita certeza do que exatamente isso significa, o importante é entender que o mesmo se aplica à produtividade. Sempre que tomamos alguma atitude ou medida, haverá uma consequência para essa ação.

O grande problema é que a maioria das pessoas não sabe quais são as leis, as verdades e as reações que acontecerão em decorrência de cada ação tomada no que se refere à produtividade. Deixe-me explicar melhor!

Certa vez, atendi o Rodrigo Cardoso, um dos melhores palestrantes do mundo corporativo do Brasil, e ele passou por um processo de coaching de produtividade individual, por meio da minha orientação. O caso dele é bem interessante, visto que ele tinha uma convicção inabalável de que deveria resolver todos os problemas na exata hora em que eles surgissem, até porque o Rodrigo é um realizador por natureza, mas a mesma lógica serve para um procrastinador crônico, e você vai conseguir visualizar em seguida o que estou dizendo.

Ele acreditava que precisava agir imediatamente diante de qualquer demanda que surgisse – lembre-se de que essa era a verdade dele. A verdade é que o Rodrigo passava o dia verificando a todo instante se havia chegado algum e-mail, mensagens de WhatsApp, Skype, inbox do Facebook e todas as outras ferramentas de comunicação que estivessem ao alcance dele. Observe que ele fazia isso para o bem, ao menos na cabeça dele, sempre buscando resolver tudo o mais depressa possível.

A exata mesma lógica se aplicaria a todos aqueles que fazem a mesma coisa, ou seja, que verificam seus canais de comunicação e suas redes sociais a todo instante, não para resolver demandas, mas, sim, para adiar aquilo que tem de ser feito. De um jeito ou de outro, o problema é o mesmo, a verdade que vai curar e a solução são as mesmas.

Quase todas as ações que não respeitam as verdades absolutas sobre produtividade, num primeiro momento e numa análise rápida, até parecem positivas. Afinal, surgia um problema no WhatsApp, o Rodrigo imediatamente resolvia, chegava e-mail com algo que precisava ser visto, pronto, depressa ele dava conta daquela nova demanda.

O que ele não percebia é que essa ação, que parecia inofensiva, violava diversas verdades sobre produtividade, a ponto de ele sequer conseguir perceber as reações destrutivas decorrentes daquelas ações. O mais interessante disso tudo é que é possível que até você ou algum outro leitor esteja neste exato momento ainda acreditando que não havia nada de errado na forma com que ele agia.

Este é só um dos exemplos de ações diárias, aparentemente inofensivas, que diversas pessoas praticam, mas que geram um impacto reativo desesperadoramente destrutivo na produtividade e no nível de realização.

Ações como sentar-se à frente do computador para só depois decidir o que fazer, começar o dia checando mensagens de WhatsApp e e-mail, permanecer conectado ao mundo virtual até próximo da hora de dormir, trabalhar longos períodos sem interrupção para beber água ou apenas dar uma caminhada no corredor do escritório ou do prédio. Há ainda os que trabalham sentados o dia inteiro, fazem várias tarefas ao mesmo tempo achando que é bom gerenciar muitas coisas simultaneamente, deixam de usar ferramentas para bloquear os sites que roubam a atenção, não usam um Método Inteligente de Produtividade no dia a dia, enfim, não adotam tantas outras medidas que eu poderia passar páginas e páginas listando. Tudo isso são hábitos e ações que fazem parte da rotina de qualquer pessoa que não tenha um Nível A de produtividade.

Antes de falarmos de cada uma das verdades, é importante que você entenda que elas não são o método inteligente por si só, mas são elas que darão toda a base para construirmos juntos os quatro pilares da produtividade Nível A. E, só para lembrar, foi justamente o fato de não conhecer e não observar as verdades absolutas que fez com que as minhas tentativas anteriores de produzir mais acabassem frustradas.

A primeira verdade
Ocupar-se não é produzir

Vamos voltar ao Rodrigo, o palestrante corporativo que sempre resolvia tudo na exata hora em que a demanda surgia. O dia típico na vida dele era mais ou menos assim: antes mesmo do café da manhã já começava a verificar mensagens de WhatsApp e e-mail, respondia algumas, deixava outras para mais tarde e nunca chegava a zerar todas.

Durante o café, ele deixava o celular ao lado da xícara para poder, de tempos em tempos, verificar se tinha chegado alguma nova mensagem. O dia seguia e ele ia para a frente do computador, incansável em resolver tudo aquilo que surgia gradativamente. E-mails, ligações, mensagens do WhatsApp, pagamento de contas, Skype e diversos outros problemas do cotidiano.

Quando mal se dava conta, já estava escurecendo e a sensação era quase sempre a mesma: "Nossa, parece que o dia voou e eu não fiz praticamente nada". Contudo, Rodrigo passava o dia inteiro dando o melhor de si.

A ação dele era resolver tudo o que surgia, Rodrigo não percebia que estava indo contra a primeira verdade absoluta de produtividade, isto é, ocupar-se não é produzir. Em outras palavras, o que ele fazia era passar o dia inteiro se ocupando.

Produzir é você fazer o que é necessário na direção da realização dos seus sonhos, rumo a completar os quatro elementos essenciais da felicidade. O resto é se ocupar.

Relembrando nosso último capítulo, tarefas de ocupação são aquelas que dão a sensação de estar secando gelo, de girar em círculos e não ver a vida progredir. É aquela sensação de terminar um dia e, mesmo parecendo que você não parou nenhum momento para fazer algo prazeroso para si, ainda assim ficar com o sentimento de que o dia não rendeu, de que ele não coube dentro dele mesmo.

E qual o impacto positivo disso na sua produtividade? Só de ficar atento ao momento presente e se perguntar com frequência se agora você está produzindo ou se ocupando, já vai gerar um aumento significativo na produtividade diária.

Adquirir um novo hábito, uma nova habilidade, pode ser comparável à respiração, você precisa inspirar conhecimento e expirar prática. Pois é, acabo de lhe oferecer um conhecimento importantíssimo, agora você precisa praticar, e existe uma solução simples que eu e centenas de alunos da Academia da Produtividade usamos para adquirir o hábito de permanecer sempre atentos ao fato de estarmos produzindo ou nos ocupando.

Ao longo do livro, vou propor algumas soluções práticas e extremamente simples para que você comece a produzir mais e a caminhar em direção ao Nível A de produtividade, sem ter de se esforçar mais, ao contrário, diminuindo o esforço e tendo muito mais felicidade. Basta seguir as minhas dicas e implementar as ações concretas no seu dia a dia.

 AÇÃO PRÁTICA: a solução para respeitar esta verdade é programar de três a seis alarmes por dia no celular. Como a maioria dos aparelhos permite atribuir um nome para o alarme, escrevi no meu: "Geronimo, neste exato momento você está se ocupando ou produzindo?".

Cada vez que o alarme toca, eu realmente reflito e respondo à pergunta, às vezes até em voz alta. Se estiver produzindo, sinto-me confiante, tenho a sensação de que estou no caminho certo, sigo adiante com muito mais confiança. Se estiver me ocupando, tenho a oportunidade de perceber, ficar alerta e corrigir o rumo dali para a frente.

Só para você saber, enquanto escrevo este livro, optei por criar seis alarmes. Se algum deles tocar em um momento em que eu tenha perdido o foco e esteja jogando fora meu tempo no horário em que eu deveria estar construindo histórias de que vou me orgulhar contar, tenho a oportunidade de corrigir e seguir adiante.

O que eu espero de você agora? E quando digo agora, é agora mesmo, enquanto você está lendo esta frase. Espero que você defina se vai programar três, quatro, cinco ou seis alarmes e antes de prosseguir para a próxima frase do livro, que implemente essa pequena medida que fará total diferença na sua vida.

A segunda verdade
As tarefas nunca vão terminar

Alice tinha 32 anos, morava sozinha em São Paulo e trabalhava numa multinacional na área de TI. Embora gostasse do trabalho e do que fazia, ela sempre teve um volume muito grande de tarefas, que acabavam gerando dois sentimentos muito ruins.

O primeiro era quando ela tirava um tempo para fazer alguma atividade que lhe desse prazer, como ir à academia, ao salão ou simplesmente parar para ler um livro. A quantidade de tarefas pendentes era tão grande que ela não se sentia em paz para fazer nada, não curtia momentos em que não estava trabalhando, pois se sentia culpada.

O segundo momento muito ruim era no final do dia, quando olhava para a lista de tarefas que sobravam e se sentia mal, como se o dia não tivesse rendido. O que ficou acumulado no hoje, somado ao que viria nos dias seguintes era um monstro tão grande que ela nunca daria conta de acabar com aquilo.

É engraçado que muita gente pensa que o sentimento de ser engolido pela vida é exclusividade das pessoas desorganizadas, mas Alice era extremamente organizada e também tinha esse problema. Ela até fazia listas do que deveria ser feito, ia marcando com um "X" o que havia sido feito, tinha ainda o cuidado de minimizar as tarefas de ocupação, de modo que não olhava o e-mail, nem as mensagens de celular o tempo todo.

Num primeiro momento, quando ela tentava uma técnica nova de produtividade, as coisas até começavam a melhorar, dava uma sensação de que tudo ia funcionar, mas passado algum tempo, as tarefas começavam a ficar pendentes de novo e se acumulavam de um dia para o outro. As pendências se misturavam com as novas demandas do dia seguinte, até que a lista de tarefas a serem cumpridas era tão grande que o sentimento, de novo, era de: "Tá vendo que não vai dar?". Alice se desesperava ao pensar que não importava o que fizesse, ela nunca conseguiria gerenciar tudo o que precisava ser feito.

Perceber que a técnica nova não resolveria o problema do volume de atividades destruía completamente dois pilares da produtividade Nível A, que são o da mentalidade vencedora e o da energia. O sentimento que vinha era o de que não daria, que não adiantava continuar seguindo aquele método porque não tinha jeito, sempre ficavam mais tarefas para trás do que ela conseguia dar conta.

E isso vai acontecer com todo mundo que não conhecer a segunda verdade absoluta da produtividade Nível A, que é a verdade de que as tarefas nunca vão terminar! O simples fato de aceitar isso vai mudar tudo.

É preciso aceitar que não importa quanto você trabalhe, quanto produza, nunca haverá o dia em que você dirá: "Nossa, terminei meu dia e não tem nenhuma ligação para retornar, nenhum WhatsApp para responder, nenhum e-mail para olhar, nenhuma conta a pagar, respondi todas as mensagens inbox, aqui em casa está tudo perfeito, não tem compras para fazer nem nada para consertar, todas as pessoas da minha família estão satisfeitas com a minha atenção e todas as minhas metas foram alcançadas."

O mais importante é você aceitar que nem as suas, nem as minhas, tampouco as tarefas de qualquer outra pessoa terão fim um dia e que não há nenhum problema nisso.

AÇÃO PRÁTICA: sempre que tiver a sensação desconfortável de que o seu dia, mesmo que tenha sido produtivo, deixou muitas pendências, o que você precisa fazer é apenas se lembrar da verdade dois, ou seja, de que as tarefas nunca vão terminar.

Você não precisa acreditar em mim, só implemente o método e perceba quanto o hábito de se lembrar disso quando se sentir engolido vai acalmá-lo profundamente.

Para ser claro, essa é uma das verdades mais libertadoras que existem.

A terceira verdade
Se você não tem agenda, acaba virando a agenda dos outros

Pedro é uma das pessoas mais realizadoras que conheço, empresário bem-sucedido, uma pessoa com coração enorme, mas que acreditava numa regra interessante, a de que deveria estar acessível o tempo todo para todo mundo, e que as tarefas precisavam ser resolvidas no mesmo instante.

Lembro-me com clareza de estar sentado na cozinha da casa dele, tomando um café expresso (aliás, eu amo café expresso) e conversando sobre diversos assuntos, de amenidades a parcerias profissionais, e sem nenhum exagero, a cada um minuto ou até menos, aparecia na tela do celular dele uma notificação de que tinha chegado uma nova mensagem de WhatsApp, Skype ou e-mail.

Sempre que o celular vibrava, tanto ele quanto eu virávamos a cabeça para olhar para o aparelho. Funcionava mais ou menos assim, no meio de uma conversa ou outra, ouvíamos o celular vibrar ou a tela do aparelho se iluminava, e é claro que aquilo distraía a nossa atenção.

Algumas vezes não passava de mera distração, mas, em outras, ele percebia que era algo mais relevante e pegava o celular para responder ou para ver o restante da mensagem que, de tão grande, não cabia na tela e ele precisava descer a barra de rolagem para poder ler a mensagem completa.

O mesmo acontecia quando ele estava sozinho, sentado à frente do computador, tentando escrever algum texto de trabalho, ler algo importante ou tentando realizar alguma tarefa produtiva, algo que o levaria em direção aos sonhos que ele queria realizar. Mais uma vez, na tela do computador apareciam notificações de novos e-mails, a tela do celular continuava piscando toda hora, o aparelho vibrava algumas vezes, apareciam chamadas no Skype e, para piorar, ele abria diversas abas do navegador da internet acreditando que quanto mais acessível e disponível estivesse, melhor a empresa e os negócios dele fluiriam.

O grande problema dessa forma de agir é que a cada microdistração que temos ao longo do dia, nosso cérebro precisa reorganizar o foco. Funciona mais ou menos como a lente de foco automático de uma câmera de filmar; quando a pessoa muda de posição, precisa de alguns instantes para focar de novo. É isso o que acontece com nosso cérebro.

Pedro parava para digitar um e-mail, postar alguma coisa em um blog ou qualquer atividade que demandasse concentração. O simples fato de virar o rosto para verificar a mensagem que acabara de chegar o fazia perder o foco do e-mail que estava redigindo para focar a mensagem e, mesmo que não chegasse a olhar a mensagem propriamente dita, ao voltar a atenção para o e-mail mais uma vez, o cérebro precisava de um novo foco.

No mínimo, ele precisava localizar o ponto em que havia parado, reler uma parte do último parágrafo para conseguir retomar o raciocínio dali para a frente. Isso rouba tempo precioso do dia de qualquer um que opere nesse modelo. Agora, imagine na escala de um mês, de um ano, de uma vida. É tempo da sua produtividade, de sua vida que está se esvaindo, é tempo que você poderia usar para algo que efetivamente lhe fosse prazeroso, isso tudo sem mencionar o nível de qualidade do trabalho que vai caindo a cada perda de foco.

Agora analise comigo o seguinte: quando alguém manda uma mensagem para você, essa pessoa está fazendo isso no horário que você gostaria de receber ou no momento em que ela gostaria de mandar? A resposta é óbvia, no momento em que ela gostaria, claro, e como você não tem agenda, acabou de virar agenda dos outros.

Cada um pode me enviar quantas mensagens quiser e na hora que quiser, essa é a agenda deles, mas eu não recebo absolutamente nenhuma notificação, não sei se chegou mensagem no WhatsApp, no Skype, no Facebook ou e-mail. Só vou saber no momento em que designei como "bloco de respostas", que é o tempo que separo para responder todos os canais de comunicação que monitoro.

Na prática, tenho a minha agenda e não virei agenda de ninguém.

AÇÕES PRÁTICAS: aqui veremos três ações simples:

1) Desabilite todas as notificações do seu celular, não se permita virar agenda de ninguém.
2) Estabeleça um horário para o seu bloco de respostas, momento em que estará 100% concentrado em responder a todas as mensagens recebidas no período.

Antes de falarmos da terceira ação, preciso explicar um aspecto interessante desse processo. É que nosso cérebro vai sempre buscar pretextos para se manter na zona de segurança e o mais comum que percebo entre meus alunos e meus clientes individuais é que não podem reservar um tempo para responder as mensagens porque "vai que é alguma emergência?".

Esse é um pretexto que soa bem razoável e o problema de pretextos razoáveis é que as pessoas começam a acreditar neles, mas o pior pretexto é aquele que repetimos tantas vezes até o ponto em que nós mesmos passamos a acreditar nele.

Para esse ponto, a solução muito simples é estabelecer um canal de emergência com as pessoas da família, da empresa e os amigos que possam precisar contatar você a qualquer instante. E qual vai ser o canal de emergência? Bom, sugiro que seja um que tenha algum tipo de exclusividade. Na vida moderna, adivinha qual canal de comunicação se tornou praticamente obsoleto? Tenho quase plena convicção de você pensou no telefone! Pois é, praticamente ninguém mais liga para os outros nos dias de hoje, todos preferem mensagens.

No meu caso, por exemplo, a Paty, a babá dos meus filhos, minha equipe da empresa e meus pais sabem que quando precisam falar comigo e o assunto não pode esperar, o único modo é me telefonar, do contrário eu, provavelmente, responderei no próximo bloco de tempo dedicado a respostas. E só para passar a informação completa, se alguém abusa do canal de emergência, o que faço é chamar a atenção, alertando que aquele assunto não exigiria uma ligação àquela hora, mas é claro que eu faço isso com carinho e amor, mas faço!

3) Crie um canal de emergência, esta será sua terceira ação concreta. Avise àqueles que considera importantes para que saibam que você não responderá imediatamente as mensagens. Assim, quando houver uma verdadeira emergência, eles saberão que precisam ligar para o seu telefone ou acionarão qualquer outro canal de emergência que você estabelecer.

A quarta verdade
Mais importante que a velocidade é a direção

O sucesso verdadeiro, que preenche os quatro elementos essenciais da felicidade de forma duradoura, não é uma corrida de 100 metros em que você concentra todos os esforços naquele curto espaço de tempo e a maratona acaba. O sucesso é uma corrida de média ou grande duração. Se um maratonista sair correndo como um louco nos primeiros quilômetros, pode até sair na frente, mas dificilmente conseguirá sequer cruzar a linha de chegada.

Seguindo a lógica de uma maratona que tem 42 quilômetros e alguns metros de distância, o corredor que dispara como um louco no início dificilmente concluirá a prova, mas se ele seguir na direção errada, então não alcançará a linha de chegada mesmo.

Em contrapartida, será que uma pessoa que inicie e percorra a prova inteira com serenidade cruzará a linha de chegada em algum momento? A resposta é: claro que sim! Guarde esse conceito.

Como coach de produtividade, quando atendo clientes individualmente, trabalhamos sempre com o objetivo de passar do ponto A para o ponto B.

Ponto A é o momento exato em que você está hoje, a largada da maratona, e o Ponto B é onde você pretende chegar, seu ponto de chegada. Em geral, as pessoas se avaliam por quanto falta para chegar ao ponto B, e como normalmente falta muito para a linha de chegada, essa preocupação acaba virando um fator de ansiedade, e sempre que alguém fica ansioso, a tendência é destruir a mentalidade vencedora e diminuir a energia, dois dos quatro pilares da produtividade Nível A.

Se eu olhasse sempre para quanto faltava para o meu Ponto B, é bem provável que eu me desesperasse pelo caminho, que percebesse quanto ainda estaria distante daquilo que queria e quero nos aspectos pessoal, profissional, financeiro e de equilíbrio, de quanto ainda quero gerar de valor para as pessoas ao meu redor. Esse é justamente o grande erro, precisamos reconhecer que mais importante que a velocidade é a direção, e que não podemos medir nossa evolução por quanto falta para o Ponto B.

Se, porém, eu medir minha evolução por quanto já me afastei do Ponto A, verei que aprendi uma profissão nova do zero, larguei meu emprego público, tornei-me coach e empresário, tenho uma empresa que cresce constantemente – em 2015, meu primeiro ano fora do serviço público, só de tributos paguei mais que o dobro da remuneração que recebia como advogado da União.

A verdade é que não podemos nos avaliar por quanto falta para chegar ao Ponto B, mas por quanto já nos afastamos do Ponto A.

AÇÃO PRÁTICA: a partir de hoje, sempre que você começar a se sentir angustiado ao ver quanto falta para chegar ao Ponto B, pare por um instante, respire e anote num papel ou fale em voz alta consigo mesmo ou enumere para alguém todos os pontos que você já avançou em direção à sua meta.

Claro que isso não é desculpa para não evoluir, ao contrário, se você perceber que não está se afastando do Ponto A precisa acender um alerta amarelo para saber que a sua produtividade está deixando de ser Nível A, então, é hora de avaliar o que está acontecendo. No entanto, não se preocupe, ainda vamos falar mais sobre isso até o final do livro. Acredite, não vimos nem 10% da melhor parte do livro.

Retomando a história do Rodrigo Cardoso, quando ele teve acesso às verdades absolutas sobre produtividade, conseguiu aplicar à própria vida aquelas que estavam faltando e que o atrapalhavam para chegar ao Nível A de produtividade. No caso específico do Rodrigo, as que o impediam eram principalmente as três primeiras: ocupar-se não é produzir; as tarefas nunca vão terminar; e, se você não tem agenda, acaba virando a agenda dos outros.

Eu me lembro de que o Rodrigo estabeleceu que o dia em que a vida dele estivesse organizada de novo ele tiraria alguns dias de folga e me ensinaria a surfar, o que seria o marco do momento em que ele conseguiu alcançar a produtividade Nível A.

Em fevereiro de 2016, viajei para Florianópolis e o Rodrigo, que agora tem o Nível A de produtividade, não só me ensinou a surfar como ensinou também a Paty, o João e a Carol. Inclusive, há um vídeo no meu perfil pessoal do Facebook da primeira onda do João em que ele ficou em pé na prancha, com a orientação do Rodrigo. Visite meu perfil para assistir.

Hoje, o Rodrigo cresce em sua profissão numa velocidade estrondosa, tem muito mais equilíbrio, fica totalmente presente durante as refeições, tira o máximo proveito do momento, tem uma equipe que cresce e evolui sem parar, produz muito mais resultados com menos esforço e mais felicidade.

Agora diga-me uma coisa, quanto vale para você alcançar um Nível A de produtividade e produzir o dobro do resultado, com menos esforço e muito mais felicidade? Quanto vale conquistar todos os quatro elementos essenciais da felicidade? O que estou ensinando neste livro é o método mais inteligente que conheço para alcançar um nível de realização que talvez nem você mesmo tenha imaginado que fosse possível.

E para ajudar na sua evolução, é muito importante que você responda às questões a seguir, marcando um "X" nas verdades que mais fizeram sentido para você, naquelas em que acredita que tem de melhorar. Pode até ser que precise se concentrar em todas elas. Em seguida, registre ao menos uma, e no máximo três atitudes que tomará para implementar essa verdade na sua vida a partir deste exato momento:

( ) Ocupar-se não é produzir

Atitude 1: _____

Atitude 2: _____

Atitude 3: _____

( ) As tarefas nunca vão terminar

Atitude 1: _____

Atitude 2: _____

Atitude 3: _____

( ) Se você não tem agenda, acaba virando a agenda dos outros

Atitude 1: _____

Atitude 2: _____

Atitude 3: _____

( ) Mais importante que a velocidade é a direção

Atitude 1: _____

Atitude 2: _____

Atitude 3: _____

Capítulo 6

Verdades transformadoras sobre produtividade

"A verdade é que eu tenho a sensação de que a vida está mais leve, tudo está mais perto e mais fácil". Joel, aluno da Academia da Produtividade

Eram 5 horas da manhã e eu estava saindo de casa para o aeroporto, tinha escolhido uma mala de mão para não ter de despachar bagagem, porque estava viajando ao Rio de Janeiro, para dar uma palestra, e voltaria naquele mesmo dia. Considerando o horário, praticamente madrugada ainda, a Paty estaria dormindo, mas, naquele dia, ela se levantou, veio até a porta, deu-me um beijo de despedida e desejou-me boa viagem.

Segui até o elevador e, antes de ela fechar a porta, decidiu falar comigo sobre um assunto de trabalho, pois somos sócios na Full Ideias, empresa de treinamento e marketing digital. Ela começou a conversa mais ou menos assim: "Meu lindo, tem uma coisa que a gente tem de fazer".

Antes mesmo que ela concluísse, eu a interrompi e perguntei: "Isso que você tem para me falar, temos de resolver agora, ou consigo resolver enquanto estiver no avião?". Ela prontamente me respondeu que não precisava ser feito naquele momento e, eu, sem o menor medo de errar, disse: "Então, se é algo que tenho de fazer, mas não consigo resolver agora nem durante o percurso, não quero ouvir do que se trata". Ela respeitou integralmente minha decisão, desejou-me boa viagem mais uma vez e entrou para voltar a dormir. Segui minha viagem em paz.

Parece só mais uma história normal de um dia qualquer na rotina de um casal, mas, acredite, nem sempre foi assim. A maioria das pessoas, além de não agir assim, provavelmente nem entendeu o que tem de tão brilhante nesse acontecimento que acabei de relatar.

A quinta verdade
O maior ladrão de energia é pensar em algo no momento em que você não pode fazê-lo

Voltando um pouco no tempo, eu e a Paty sempre adoramos jantar num restaurante simples, mas com um ambiente aconchegante e uma comida maravilhosa, que é o Oriundi, em Vitória, Espírito Santo. Fomos até lá quando cheguei dessa viagem e, como de costume, sentamos, já conhecíamos o garçom pelo nome e ele já sabia o que a gente queria, então, foi o tempo de desejar boa noite para o garçom e a primeira frase me veio à cabeça: "Minha linda, eu lembrei que a gente tem de ver aquele negócio lá da empresa" e rapidamente ela devolveu: "Caramba, é mesmo, e também tem de chamar a assistência técnica para consertar o fogão lá em casa."

E quanto mais a gente conversava, mais "tem que" surgia. Isso tem um nome, é a *síndrome do "tem que"*. Essa síndrome consiste em falar daquilo que tem de ser feito, mas em um momento em que a tarefa não pode ser realizada. Não sei se você sofre dessa síndrome, ou se conhece alguém que passa por isso, mas o resultado final é desesperador, porque a cada "tem que" a ansiedade vai aumentando, e outros "tem

Produtividade para quem quer tempo   81

que" vão surgindo e, no final daquela noite, nem jantamos em paz nem resolvemos nada, porque no meio do jantar não conseguiríamos resolver o problema da nossa empresa, nem chamar a assistência técnica para reparar o fogão.

Tivemos outros encontros como esse, e o resultado final é que não relaxávamos durante a refeição, que tinha tudo para ser prazerosa, pois dispendíamos a pouca energia que sobrava falando de algo que não poderia ser resolvido naquele momento.

É claro que contei uma história verídica de um jantar entre mim e a minha esposa, mas o mesmo acontece durante almoços em família, caminhadas na praia, trajetos no carro enquanto nos deslocamos de um lugar ao outro, ou, pior ainda, na hora em que o casal já se deitou para dormir, e um dos dois resolve dizer algo com o pretexto de que quer aproveitar que se lembrou do assunto e sai uma frase mais ou menos assim: "Já que eu lembrei, só para não esquecer, amanhã a gente tem de...".

E só para deixar bem claro, a *síndrome do "tem que"* é extremamente contagiosa. De modo geral, quando um dos dois sócios ou do casal dispara o primeiro "tem que", a reação imediata do outro é dizer: "Puxa, é mesmo, e a gente também tem de...". Pronto, pegou!

Outro momento destrutivo da produtividade Nível A é quando a síndrome o surpreende sozinho, justamente na hora que você resolve fazer algo importante, alguma tarefa de produção de fato relevante. Quantas vezes na vida eu já sentei, preparei-me para fazer algo e nesse mesmo instante veio à mente tudo o que estava pendente na minha vida, que eu tinha de responder a um e-mail, que não tinha verificado a conta do banco naquele dia, que não vi a cotação do dólar, que há tempos não arrumava minha mesa, que precisava mudar o plano de internet lá de casa, que o WhatsApp estava cheio de mensagens e alguma delas poderia ser importante, enfim, lembrava de todos os "tem que" e acabava ficando tão ansioso que nem produzia adequadamente nem conseguia resolver aquele monte de tarefas pendentes que me vinha à cabeça.

E a cura é muito simples, porém poderosa. Para curar a *síndrome do "tem que*, você só precisa de um "depósito", ou seja, algum lugar onde possa registrar tudo aquilo que vier à sua cabeça no momento errado.

Esse depósito pode ser um caderninho físico ou qualquer ferramenta de anotação virtual; hoje em dia, praticamente todos os celulares têm uma ferramenta de notas. O importante é poder levá-los sempre com você. O único propósito desse depósito é ter um lugar à mão para que, sempre que pensar em algo que não possa ser resolvido naquele exato momento, você registre nele essa informação em vez de externar em voz alta para quem estiver por perto.

O efeito dessa medida simples é incrível, primeiro porque você sente o alívio de ter externado de certa forma aquele sentimento de que algo precisa ser feito; segundo porque não contagia quem quer que esteja perto de você com a *síndrome do "tem que"* e, terceiro, porque aquela tarefa não se perde, fica registrada no seu depósito. É claro que você precisa saber o que fazer com o depósito, e eu vou lhe ensinar quando chegarmos ao capítulo que descreve o Método Inteligente de Produtividade.

 AÇÃO PRÁTICA: defina onde será o seu "depósito do 'tem que'". Na dúvida, escolha algo simples e que lhe permita começar de imediato. Lembre-se sempre de que o progresso precisa vencer a perfeição.

A sexta verdade
Não trate exceção como regra

A cada sessão on-line que eu começava com a Rose, uma cliente real a quem atribuí um nome fictício, a história era sempre a mesma. Trabalhávamos cada um dos pilares da produtividade Nível A e, sempre que uma ação concreta se mostrava necessária para organizar a rotina e para que ela deixasse de se ocupar e passasse a produzir, Rose logo arranjava o pretexto da exceção: "Mas, e se meu filho adoecer e eu precisar levá-lo ao médico, o que faço com o período da manhã que reservei para estudar? E se alguma máquina quebrar em casa e eu precisar chamar um técnico, o que faço com as visitas aos clientes na parte da tarde?".

Na prática, o que essa minha cliente vinha fazendo era tratar algumas exceções da vida como regra. Assim, Rose deixava de organizar a rotina sob o argumento de que não adiantaria nada, pois logo teria algum imprevisto e, em contrapartida, quando ela tentava se organizar, a primeira exceção que aparecia acabava tendo um peso tão grande que desregulava toda a rotina que tentava estabelecer. Em outras palavras, por não observar essa sexta verdade, Rose sofria profundamente nas duas situações.

Como já disse, as verdades absolutas de produtividade não são o método em si, elas são a base para se produzir com o Nível A de realização e, quando chegarmos à parte em que vou ensinar você a organizar sua semana, é fundamental que entenda que sua vida tem em média 80% de atividades previsíveis e 20% de atividades de exceção, isto é, atividades imprevistas. Assim, temos de organizar a parte dos 80% e gerenciar da melhor maneira possível os outros 20%.[3]

A solução prática para resolver essa verdade é criar o turno de exceção, que é um período da semana em que você não marca nenhum compromisso concreto. Por exemplo, no período em que escrevo este livro, o meu turno de exceção é a quarta-feira de manhã. Neste horário, não marco nenhuma reunião e não agendo nenhum compromisso profissional.

É claro que você deve adaptar essa orientação à sua realidade. Se você é funcionário de uma empresa, talvez precise adequar esse turno de exceção à rotina do seu empregador e é possível que seu turno de

---

3. Esse percentual de 80/20 não tem validação científica específica, eu me baseei nas minhas experiências pessoal e profissional e em milhares de alunos na Academia da Produtividade, além de adaptar a Lei de Pareto a este caso concreto.

exceção precise ser no horário de almoço, e/ou que se estenda um pouco pela tarde. Você pode fazer ainda melhor, propor ao seu líder que a empresa estabeleça prioritariamente um turno para que os colaboradores possam se afastar para o caso de alguma exceção; todos ganhariam com isso, pois se fosse definido que seriam as manhãs de quarta, por exemplo, a própria empresa orientaria seus líderes para não agendarem compromissos naquele turno. Na dúvida, dê um exemplar deste livro para seu chefe ou o dono da empresa e deixe que ele tome essa decisão inteligente sozinho!

Voltando à minha realidade, hoje, se tenho de agendar uma consulta médica, ligo para o consultório e peço para verificar a disponibilidade de horário numa quarta-feira de manhã. Se tenho de levar o carro para revisão, ligo e faço a mesma coisa. Dessa forma, posso programar minha semana reservando sempre um turno para as exceções que aparecerem. E o melhor disso tudo é que raramente uma exceção muda a minha rotina e, quando tenho uma semana sem exceção, ganho a quarta-feira de manhã para fazer o que quiser e fico com a sensação de que estou ganhando de presente quatro horas naquele dia.

É claro que estou falando aqui de exceções que podem esperar dois ou três dias para serem solucionadas. Se o carro simplesmente enguiçar num domingo, e ele é essencial para minha rotina diária, não vou deixá-lo no meio da rua até a próxima quarta de manhã. Chamo o reboque ou o mecânico na mesma hora, mas aí estamos falando da exceção da exceção e, só para lembrar, nunca trate exceção como regra.

"Certo, Geronimo, entendi, mas e se eu tiver de ir ao dentista toda semana por conta de um aparelho ortodôntico, por exemplo?" Bom, se você está indo ao dentista toda semana, esse compromisso deixou de ser exceção e precisa ser tratado como regra, ou seja, ele precisa ser incluído no seu DRD, que é uma versão muito mais evoluída da agenda. Se você não tem ideia do que é o DRD, fique tranquilo, vou informar de que se trata mais adiante.

AÇÃO PRÁTICA: estabeleça agora qual é o seu turno de exceção e adote duas medidas em relação a esse turno:
1) Não agende compromissos rotineiros para esse período; e
2) Agende todos os compromissos de exceção daqui por diante no turno que você estabeleceu.

A sétima verdade
Felicidade não é uma linha de chegada.
Ela é o próprio caminho

Como coach, já atendi muitos clientes e já tive milhares de alunos nos meus programas on-line, e posso dizer que o comportamento da Luiza é absolutamente comum. Ela é uma pessoa que não se sente realizada e se vê engolida pela vida, com o sentimento de que as coisas nunca parecem estar bem.

Luiza, no auge dos seus 34 anos, casada e com dois filhos, trabalha fora e está muito longe de ter uma vida ruim. Quando iniciou o programa para aprender a realizar mais com menos trabalho, Luiza estava se sentindo claramente infeliz. No entanto, quanto mais avançávamos, mais ficava claro que a vida dela já era maravilhosa; o grande problema estava em uma expressão, na verdade, em uma palavra.

A todo instante, em meio à sessão vinha a palavra "quando". "Quando eu tiver minha casa dos sonhos, vou ser muito feliz", ou "Quando eu largar meu emprego e montar meu próprio negócio, vou ser feliz".

Essas são apenas duas frases que servem de exemplo para tantas outras. Poderia ser "quando tiver minha promoção", "quando me casar com ele", "quando me separar dele", "quando tiver o carro dos sonhos", "quando ganhar na loteria", "quando viajar pelo mundo", "quando ganhar meu primeiro milhão", ou qualquer outra forma de tentar transformar a felicidade numa linha de chegada.

O problema dessa postura é que a vida, o agora – afinal tudo acontece no agora – vai ficando meio cinza, sem cor. As coisas simples do AGORA ficam sem importância, afinal de contas, "quando" aquilo acontecer, vai ser incrível.

Levar os filhos à escola, colocá-los para dormir, ler um livro em casa, tomar um café quente sossegada, conversar sobre alguma coisa com o marido ou simplesmente tomar um banho quente, nada disso era bom o suficiente para a Luiza, pois só seria bom QUANDO aquilo acontecesse.

Sinceramente, não sei se o que vou falar agora é uma boa ou uma má notícia, mas posso garantir que no momento em que Luiza ou qualquer um de nós alcançar o tal do QUANDO, a cobertura, o emprego novo, o aumento, a viagem pelo mundo, as férias dos sonhos, ou seja lá o que for, no exato momento que isso acontecer, o que aparentemente seria a linha de chegada da felicidade, logo viraria sua nova realidade, e sabe por quê?

A resposta é simples. Em qualquer desses casos, a parte central da operação continuará sendo a mesma, ou seja, você. Será você com carro novo, você com um apartamento novo, com 1 milhão na conta, sempre você! E como bom ser humano que você é, logo depois de conquistar o que quer, já estará pensando na próxima conquista.

Por um lado, isso é incrível porque faz a vida ser empolgante, porque ela não é como um joguinho de videogame em que você pode zerar o jogo e ele perde a graça porque o melhor já foi visto e não existirão mais novidades. A vida é um jogo de videogame que você pode passar de fases infinitamente porque ela não para de se recriar e trazer novas oportunidades.

Por outro lado, eu poderia dizer que vida é aquilo que passa pela janela ao lado, meio despercebido, enquanto se busca por bens e conquistas materiais, acreditando que aquilo que se almeja será a linha de chegada.

E, para que fique claro, não estou dizendo que bens materiais não devam ser conquistados, ao contrário, eu os vejo como um dos elementos essenciais da felicidade. O que não pode acontecer é a pessoa se distrair do momento presente, deixando de perceber cada pequeno milagre que acontece todos os dias à nossa frente porque está concentrado em algo sobre o futuro.

Essa verdade absoluta sobre produtividade tem o único propósito de deixar você presente na verdadeira vida, que é aquela que acontece exatamente agora. Quanto mais a pessoa vive no passado, mais tendência à depressão ela terá; em contrapartida, quanto mais viver no futuro, mais ansiosa ela tende a ser.

No meu caso e no da Luiza, a tendência era a de viver no futuro, o que, para mim, já me gerou no passado crises horríveis de ansiedade: falta de ar, sensação de morte iminente e vários outros sintomas desagradáveis, a ponto de eu tomar ansiolítico, remédio tarja preta, por mais de um ano.

Da mesma forma, já tive diversos alunos e clientes que traziam forte carga de passado na vida deles, uma carga de raiva ou culpa por algo que aconteceu. O triste disso é que raiva e culpa tendem a ser as maiores âncoras que uma pessoa pode ter, impedindo-a de viver o presente com paz e serenidade para construir uma vida extraordinária, cheia de propósito e abundância financeira e de relacionamentos.

A melhor forma que conheço para curar o excesso de passado ou de futuro na vida é se conectando com o agora. Para isso, nunca experimentei nada mais efetivo do que a meditação.

A proposta deste livro não é ensinar a meditar, mas eu não poderia omitir essa informação. Existe muito material bom sobre o tema, mas, antes de ir para a meditação propriamente dita, você pode começar lendo o livro *O poder do agora*, de Eckhart Tolle. Ele foi o meu portal para deixar de viver no futuro e me conectar cada vez mais com o presente.

Quer você se aprofunde na prática da meditação, quer não, o mais importante aqui é a percepção de que a vida acontece agora e de que, cada vez que você projeta o futuro, uma linha de chegada, a sua felicidade, está literalmente deixando de apreciar o caminho.

AÇÃO PRÁTICA: faça um exercício simples de percepção de presença. Sempre que se pegar pensando em situações futuras ou revivendo acontecimentos do passado, como se eles estivessem acontecendo de verdade, diga para si, com serenidade: "Isso não está acontecendo, são só meus pensamentos, vou voltar para o agora.". Logo em seguida, conecte-se com sensações reais do presente, tais como cheiros, paladar, sons, toques e objetos que estejam à sua vista.

Quanto mais você praticar e viver o agora, menos depressão, rancor ou ansiedade terá. E melhor ainda, cada vez mais aprenderá a aproveitar e a valorizar as pequenas maravilhas que acontecem a cada dia na vida de todos nós.

A oitava verdade
Se fosse fácil, todo mundo faria

Se eu colocar uma maçã em cima de uma mesa no centro de uma sala e pedir a trinta fotógrafos que tirem uma foto daquela cena, certamente serão tiradas trinta fotos diferentes, umas mais de perto, outras mais de longe, outras de cima, dando ênfase à maçã, outras à mesa, e não duvido que aparecessem fotos do teto ou do chão que sequer mostrariam a fruta.

Veja, a cena é idêntica: é uma maçã em cima de uma mesa no centro de uma sala, mas cada um dos fotógrafos teve a sua visão daquele acontecimento.

A mesma lógica serve para a vida. Um único fato pode ser interpretado de formas diferentes entre as pessoas que vivenciaram a mesma cena. Umas podem tirar lições positivas e sair fortalecidas e motivadas, enquanto outras podem se frustrar ou se afundar diante do mesmo acontecimento. Agora, o grande segredo é que é possível mudar o modo como enxergamos o mesmo fato.

Minha experiência profissional me mostra que buscar a melhor significação para os episódios da vida é uma habilidade e, como toda habilidade, é adquirida com conhecimento, prática e repetição. Você vai perceber que vamos falar disso muitas vezes ainda ao longo do livro. Neste momento, estou lhe oferecendo o conhecimento e, se você ainda não é uma pessoa que busca as melhores significações para os acontecimentos, chegou a hora de começar a praticar, enxergar o lado positivo de cada pequena experiência, por mais simples que seja.

O mais incrível é que, mesmo que você já tenha interpretações muito bem assimiladas na sua vida, como eu tinha na minha, ainda assim existe a possibilidade de mudar isso através da técnica da ressignificação, que é a arte de atribuir um significado diferente ao mesmo acontecimento, enxergando-o de maneira mais favorável do que normalmente as pessoas derrotadas enxergariam, ou do que você vinha enxergando até então.

Tenho dois exemplos muito claros na minha vida de situações em que ressignifiquei algo que para mim era difícil de lidar e que acabava limitando a minha potencialidade máxima. Sempre tive muito medo de adoecer, e passar na frente de hospitais me conectava demais com esse medo, a ponto de sempre passar pela minha cabeça a frase: "Um dia vou estar aí, doente". Isso era algo tão sério que criava caminhos alternativos para nunca passar em frente a nenhum hospital.

Um dia, entendi que aquele modo de enxergar as coisas estava me fazendo mal, então resolvi que mudaria aquilo, que ressignificaria aquele sentimento, e passei espontaneamente a dizer a mim mesmo: "Que bom que existem pessoas que dedicam a vida a cuidar dos outros a ponto de ter um lugar 24 horas do dia para onde eu possa ir, caso precise em algum momento". Pratiquei tanto que, quando passava em frente a um hospital, repetia a frase em voz alta. Lembro-me até de um dia em que a Paty virou para mim e perguntou: "Está ressignificando, né?".

Parece mero detalhe, mas hoje passo em frente a qualquer hospital sem me sentir mal. É claro que isso é só um exemplo, mas tenho certeza de que com a sua inteligência você já conseguiu perceber a força e a potencialidade dessa técnica.

A outra situação em que usei o poder da ressignificação você já conhece, foi quando eu queria largar meu emprego público e, sempre que algum obstáculo surgia, eu enxergava as coisas com o pensamento limitante do: "Tá vendo que não vai dar?", até que um dia resolvi dar um basta naquilo e entendi que realmente não seria fácil largar um emprego público em que eu era concursado e tinha um salário de R$ 21.945,30 (este foi meu último contracheque/holerite). Passei a enxergar que os obstáculos eram naturais e que era óbvio que eles apareceriam até porque, "se fosse fácil, todo mundo faria".

Dali em diante, passei a ressignificar cada obstáculo que surgia e o aceitava como algo natural, algo que precisava acontecer na minha caminhada para abandonar o emprego público e passar a viver de coaching, que era e é a minha paixão.

No próximo capítulo começaremos a falar detalhadamente dos quatro pilares da produtividade Nível A e você também entenderá que vão surgir obstáculos, até porque... se fosse fácil, todo mundo faria.

Do mesmo jeito que fizemos nas primeiras quatro verdades, é muito importante para sua própria evolução que você preencha o quadro abaixo, marcando um "X" nas opções que mais fizeram sentido para você e que o impactaram, mesmo que marque todas, inclusive. Em seguida, registre ao menos uma atitude que você tomará para implementar em sua vida o que for necessário.

Se for preciso, relembre rapidamente o que você leu neste capítulo.

( ) *Síndrome do "tem que"*: pensar em algo na hora em que ele não pode ser resolvido.

Atitude 1: _____

Atitude 2: _____

Atitude 3: _____

( ) Não trate exceção como regra

Atitude 1: _____

Atitude 2: _____

Atitude 3: _____

( ) A felicidade não é uma linha de chegada

Atitude 1: _____

Atitude 2: _____

Atitude 3: _____

( ) Se fosse fácil, todo mundo faria

Atitude 1: _____

Atitude 2: _____

Atitude 3: _____

Capítulo 7

Primeiro pilar:
a clareza eficaz

*Alice chega a uma bifurcação da estrada e pergunta ao Gato
qual caminho deve seguir. O Gato pergunta de volta: "Para onde
você está indo?": Ela responde que não sabe. Então, ele diz:
"Para quem não sabe para onde vai, qualquer caminho serve."*[4]

Você já montou um quebra-cabeça? Bom, não sei você, mas, sempre que montava um, eu começava pelas beiradas, porque há algumas peças com uma parte retinha, que são mais fáceis de encaixar, e, para facilitar, sempre colocava a tampa do lado para ir me guiando na escolha das pecinhas e para saber exatamente onde encaixá-las.

E o que a clareza tem a ver com um quebra-cabeça? Acredito que a vida é um verdadeiro quebra-cabeça. É como se, a cada dia que vivemos, enfiássemos a mão dentro de um saco e pegássemos uma pecinha lá de dentro. Ao término de um dia, pegamos uma peça.

O problema é que a maioria das pessoas não sabe exatamente qual é a fotografia do quebra-cabeça que quer montar para a própria vida e,

---

4. Essa é a minha versão livre de um trecho do filme *Alice no País das Maravilhas*, quando ela encontra o gato na hora de decidir qual caminho seguir.

por isso, vão pegando qualquer peça dentro do saco e muitas vezes, em algum momento, param para olhar para aquele punhado de peças que pegaram ao longo da vida e percebem que elas não se encaixam direito entre si. Esses indivíduos acabam não montando nada, ou quase nada.

Quando você identifica exatamente qual é a fotografia do quebra-cabeça que quer montar para sua vida, as decisões mais difíceis ficam muito fáceis. Como sou coach, as pessoas estão sempre me perguntando se aceitar determinada proposta seria bom ou ruim. A verdade é que praticamente nenhuma proposta é boa ou ruim por si só, não é esse o ponto. O ponto é se a proposta é ou não peça do quebra-cabeça da sua vida.

Com frequência, recebo convites para dar palestras em lugares incríveis, para plateias realmente diferenciadas. À primeira vista, o convite pode até parecer uma grande oportunidade que eu deveria sempre aceitar, mas essa não é a melhor decisão. Na prática, sempre me pergunto: "Dar essa palestra, nesse lugar e por esse valor, é peça do quebra-cabeça da minha vida?". Se a resposta for "sim", eu aceito! Se não, recuso educadamente.

Vejo muito aluno que passa pela Academia da Produtividade que nunca tinha conquistado nada de relevante na vida, nada de que sentisse verdadeiro orgulho de contar, porque ficava pulando de uma oportunidade boa para outra. O mais interessante é que, se olharmos tudo que essa pessoa fez, provavelmente veremos que todas foram verdadeiras oportunidades, mas por não ter clareza da fotografia que queria montar, muitas das oportunidades não eram peças do quebra-cabeça da vida desse indivíduo.

Tome nota: não existe oportunidade boa ou ruim, existe oportunidade que é ou não peça do seu quebra-cabeça. Isso faz sentido para você? Tomara que sim!

Agora que falamos sobre isso, preciso que entenda que pior do que não saber exatamente qual é a fotografia do seu quebra-cabeça, é construir uma fotografia errada, uma fotografia que está desalinhada em relação ao seu propósito de vida, distorcida, de modo que, quando o quebra-cabeça estiver montado, pode ser que você não sinta orgulho do que construiu. É por isso que ao longo deste capítulo vou orientá-lo para montar a fotografia certa, para que sua clareza seja a maior possível diante do próximo trecho da sua vida.

Existem quatro regras principais para você montar o quebra-cabeça certo da sua vida:

○ **Regra 1:** a fotografia precisa estar alinhada com seu propósito de vida, com sua missão e seus valores como pessoa. De nada adianta você construir uma fotografia incrível, se ela não estiver alinhada com o seu propósito de vida.

○ **Regra 2:** a fotografia precisa abranger os quatro elementos essenciais da felicidade:
  - Realização Pessoal.
  - Realização Profissional.
  - Realização Financeira.
  - Equilíbrio em todos os papéis que você exerce na vida.

○ **Regra 3:** o desenho do quebra-cabeça precisa ser específico e concreto. A chave é criar um desenho de modo que qualquer pessoa que olhe para ele consiga identificar se você alcançou ou não o resultado projetado.

Por exemplo, um erro muito comum é afirmar que a realização pessoal é querer *ser feliz*. *Ser feliz* não é específico, nem concreto. Para mim, *ser feliz* pode ser sinônimo de ficar em casa curtindo a minha família, enquanto para você pode ser viajar pelo mundo. Felicidade é um conceito que pode variar de pessoa para pessoa. A pergunta que precisa ser feita é: para você, o que é ser feliz? O que precisa acontecer concretamente para que você considere que a felicidade foi alcançada?

Essa mesma lógica vale para qualquer expressão genérica, como "ser rico", "ter um emprego dos sonhos", etc. Se você quer ser uma pessoa rica, deve definir quanto precisa ter na conta corrente, que bens materiais deseja ou quanto precisa faturar para concluir que alcançou o objetivo de "ser rico". Em relação ao emprego dos sonhos, que emprego é esse, quanto ele paga, o que você faz no seu dia a dia, é um trabalho que se executa na empresa ou em sistema de home office? Quanto mais detalhes, melhor.

Se você quer montar um negócio, a lógica é a mesma do emprego dos sonhos. Que tipo de negócio quer montar? Ele é físico ou virtual? Se for físico, onde será a sede dele? Tem quantos funcionários? Qual é o faturamento da empresa? Já, se o que você quer é uma casa própria, embora essa parte da fotografia já seja concreta, ela ainda precisa ser mais específica, descrevendo quantos quartos essa casa vai ter, onde será e quanto mais detalhes tiver, melhor.

Esses são só alguns exemplos de diversas partes da fotografia que normalmente as pessoas desenham de forma incorreta. É claro que não estou listando todas as possibilidades, longe disso, mas já dá para você ter uma boa ideia do que é ter uma fotografia concreta e específica.

○ **Regra 4:** definir em quanto tempo a fotografia do seu quebra-cabeça estará montada. Observe que não existe prazo certo ou errado, é você quem vai definir seu tempo, afinal, uma das verdades absolutas sobre produtividade é que a direção é mais importante que a velocidade.

Procure apenas fugir dos extremos. Prazos muito curtos que impeçam a realização de tarefas podem frustrar e jogar por água abaixo todo um planejamento, e, em contrapartida, prazos muito longos podem não ser desafiadores o suficiente para fazer você agir.

Num mundo perfeito, o seu quebra-cabeça deveria ser idealizado entre um e cinco anos a contar de hoje.

Então vamos lá, vamos juntos averiguar as quatro regras para desenhar sua fotografia. Para isso, prepare um lápis ou caneta, porque vamos precisar escrever um pouco mais do que nos capítulos anteriores.

ATENÇÃO: é muito importante que você confie em mim e vá fazendo os exercícios ao longo da leitura, à medida que forem propostos. Se você ler todo o capítulo e voltar depois para realizar o exercício, pode ser que o resultado não seja o mesmo.

Estabelecendo seu propósito de vida

A primeira regra é estabelecer, mesmo que genericamente, qual é seu propósito de vida, o que talvez seja uma das maiores questões da humanidade. Por que estamos aqui e qual é o sentido da vida são perguntas para as quais nem de perto se tem uma resposta exata, mas uma coisa é fato: minha experiência profissional mostra que meus clientes de coaching e alunos da Academia da Produtividade que identificam seu propósito de vida parecem viver com muito mais alegria e principalmente resignação em relação às dificuldades da vida.

A boa notícia é que, depois de muitos testes, consegui definir um exercício simples que lhe possibilitará definir com muita clareza seu propósito de vida. Só preciso que você siga comigo os seguintes passos.

Para fazer o exercício a seguir, você deve ter certeza de que terá dez minutos seguidos sem interrupção para executar e concluir a atividade de uma vez. Quanto mais você se permitir mergulhar no exercício, mais resultados positivos terá!

Primeiro: escreva abaixo o nome de três pessoas que são muito importantes para você e que vão se orgulhar quando você conquistar tudo que quer para sua vida. Pense nas três primeiras pessoas que mais gostaria que estivessem ao seu lado no dia da sua maior conquista.

1. _____

2. _____

3. _____

Segundo: preciso que você agora respire fundo por três vezes; quero muito que você faça comigo agora. Inspire fundo pelo nariz e calmamente expire pela boca. Repita três vezes.

Inspire... um... dois... três. Agora expire calmamente... um... dois... três.

De novo, inspire... um... dois... três. Agora expire sem pressa... um... dois... três.

Mais uma vez, inspire... um... dois... três... e expire calmamente... um... dois... três.

Agora, nessa mesma posição em que você está, olhando para o livro, quero que leia este trecho um pouco mais devagar, de forma mais cadenciada. Quero que você se veja bem mais velho, tendo conquistado tudo que gostaria para sua vida, tendo vivido a vida dos seus sonhos, mas agora está dentro de um quarto de hospital, deitado na cama. Você sabe que está doente, praticamente consegue sentir o cheiro de éter do hospital e acabou de saber por meio do médico que está em pé ao lado da sua cama que este será seu último dia de vida.

Ele lhe dá a notícia e diz que autorizou apenas três pessoas a se despedirem de você e elas estão lá fora, esperando para entrar. São exatamente as três pessoas cujos nomes você acabou de escrever acima. Ele vai permitir que cada uma dessas pessoas entre sozinha e fique poucos instantes com você, só o tempo necessário para dizer uma única frase. Elas, uma a uma, vão entrar e dizer que você pode partir em paz e que elas vão para sempre lembrar de você por três características ou realizações que você teve ao longo da sua vida.

Quero que você agora imagine a primeira pessoa entrando, a primeira que você mencionou no exercício anterior. Ela entra, coloca-se ao lado do leito, pega a sua mão, olha dentro dos seus olhos e diz uma única frase: "Não se preocupe, pode ir em paz, depois de tudo que você viveu e construiu eu vou para sempre lembrar de você por...".

Escreva abaixo o que a primeira pessoa lhe disse sobre como vai se lembrar de você para sempre

Pessoa 1

_____

_____

A primeira pessoa acaba de lhe dizer o que precisava e logo em seguida diz que realmente precisa sair para que as outras pessoas possam entrar. Assim que ela sai, entra a segunda pessoa, você já consegue vê-la desde a entrada da porta, caminhando até chegar à sua cama e, assim que chega, da mesma forma que a anterior, ela segura a sua mão, espera um ou dois segundos, dá um pequeno sorriso e diz para você não se preocupar, que pode partir em paz e que vai para sempre lembrar de você por...

Escreva abaixo o que a segunda pessoa disse sobre como vai se lembrar de você para sempre

Pessoa 2

_____

_____

Finalmente, a segunda pessoa sai para que a última possa entrar. Do mesmo jeito que as outras, ela vai até o seu lado. Ao entrar no quarto, por um instante hesita, fica parada na porta como se não acreditasse que aquela fosse de fato a última vez que vai ver você, respira fundo e caminha devagar em sua direção. De pé, sem nem sentar, ela diz que você pode partir em paz, que para sempre vai lembrar de você por...

Escreva abaixo o que a terceira pessoa disse sobre como vai se lembrar de você para sempre

Pessoa 3

_____

_____

Antes de sair, a terceira pessoa lembra que você é incrível, que conquistou tudo o que queria na vida e lhe pergunta o que você mais se orgulha de ter construído. Você pensa por apenas três segundos e responde a primeira realização que lhe vem à cabeça:

Escreva aqui abaixo a realização de que você mais se orgulha

_____

_____

_____

Pronto, antes de seguirmos, quero que você pare por alguns instantes e se movimente um pouco. Pode fechar o livro, deixá-lo de lado e se espreguiçar um pouco, levantar para tomar um copo de água e voltar em seguida.

Se você de fato fez o exercício, terá um material valioso em mãos. A forma como gostaria de ser lembrado e a conquista de que mais sente orgulho de contar muito provavelmente são o seu propósito de vida.

Vamos agora para o passo seguinte da construção da fotografia do seu quebra-cabeça.

Desenhando a fotografia certa

Vamos usar duas regras agora para desenhar a fotografia exata do seu quebra-cabeça. Vamos explorar os quatro elementos essenciais da felicidade e ser o mais específicos e concretos possível, fugindo ao máximo de expressões genéricas que permitam diferentes interpretações.

E, só para lembrar, o que você vai estabelecer agora é algo muito sério, é o que vai guiar as peças que serão sorteadas no seu próximo trecho de vida, então, precisa estar completamente alinhado com seu propósito de vida.

Basicamente, preciso que você escreva três realizações que precisa alcançar na sua vida para que considere ter preenchido cada um dos elementos essenciais da felicidade.

Realização Pessoal

1. _____

2. _____

3. _____

Realização Profissional

1. _____

2. _____

3. _____

Realização Financeira

1. _____

2. _____

3. _____

Equilíbrio

1. _____

2. _____

3. _____

Só falta estabelecer em quantos anos o seu quebra-cabeça estará completo, mas quero que você faça isso de forma diferente. Primeiro, você vai dizer em anos e, em seguida, quero que estabeleça a data.

Por exemplo, a minha fotografia estará montada em três anos. Certo, agora dentro de três anos, estabeleça a data exata em que isso acontecerá. Procure uma data que seja significativa para você. Assim que tiver definido a data, basta informá-la no espaço abaixo:

Data em que o quebra-cabeça estará montado: __ / __ / __

Para terminar, preciso dividir com você que minha missão de vida é fazer as pessoas acreditarem que a vida pode ser mais e caminharem em direção a isso. Poucas coisas me fazem mais feliz do que ver que contribuí para a conquista de alguém.

Então, quero lhe propor como meta que nesse dia que você marcou como o dia em que a sua fotografia estará montada, mande um e-mail com a foto desta página do livro para o endereço consegui@avidapode sermais.com.br. Vou fazer questão de ler a mensagem e ficarei muito orgulhoso da sua conquista.

Agora que você já construiu o pilar da clareza eficaz, vamos falar do método inteligente de produzir mais na prática.

Capítulo 8

Segundo pilar: o Método de Produtividade Inteligente

método
substantivo masculino
1. procedimento, técnica ou meio de fazer alguma coisa, especialmente de acordo com um plano.[5]

Lembra-se da história de quando eu jogava tênis com um amigo no Rio de Janeiro? Havia uma quadra de tênis no aterro do Flamengo, no Rio de Janeiro, e era para lá que nós íamos à tarde para jogar. Talvez essa quadra exista até hoje – faz muito tempo que não vou até lá. O fato é que éramos realmente ruins em tênis; eu batia na bola de qualquer jeito, fazendo um esforço danado para jogá-la para o lado de lá, enquanto meu amigo batia de volta para mim completamente sem jeito, e, mesmo o jogo sendo horrível, a disputa era sempre acirrada; algumas vezes ele ganhava, outras, eu.

Como já contei, depois de aceitar a ajuda de um professor, com um pouco de técnica, a minha vida de jogador de tênis de fim de semana

---

5. HOUAISS, Antonio. *Dicionário Houaiss da Língua Portuguesa*. Rio de Janeiro: Objetiva, 2009.

mudou completamente, porque a diferença entre nós dois é que eu tinha acabado de adquirir um método de bater na bola e ele não.

E é disso que vamos falar aqui, de um método em que você vai conseguir pegar as peças para montar a fotografia do seu quebra-cabeça numa velocidade muito maior e com uma técnica muito melhor do que talvez jamais tenha imaginado. É bem possível que algumas pessoas ao seu redor se surpreendam com sua evolução, perguntem o que está acontecendo e até tentem imitar você, mas elas não vão entender exatamente como você está fazendo isso, porque não conhecem o Método de Produtividade Inteligente do qual você passou a se beneficiar.

Lembrando sempre que, para chegar a um Nível A de produtividade, você precisa construir os quatro pilares e que essa costuma ser a grande falha de quem não chega lá. Muitos se preocupam apenas com o método propriamente dito e se esquecem dos outros pilares indispensáveis. Como numa construção, se um dos pilares não estiver firme, toda a estrutura acaba ruindo.

No capítulo anterior, você aprendeu a construir o pilar da clareza, em que desenhamos a fotografia do quebra-cabeça que você quer montar para sua vida. E se você não fez o exercício em tempo real, sugiro fortemente que o faça agora, pois este livro foi idealizado para ser interativo, para que, assim, ao terminar a leitura, você já tenha seus quatro pilares construídos ou esteja bem perto disso, apresentando uma grande evolução.

Vamos construir agora o pilar do método de produtividade inteligente em que vou ensinar você a organizar uma quantidade enorme de tarefas, como preparar sua semana, como decidir o que fazer e o que não fazer no seu cotidiano, como usar estratégias para reduzir a procrastinação e para não ser engolido pelas tarefas de ocupação, para diminuir as distrações que vão surgindo no dia e, sobretudo, vou ensiná-lo a manter o equilíbrio.

Para ensinar o passo a passo do método de produtividade inteligente, que chamarei daqui por diante simplesmente de MPI, é fundamental que você tenha em mente os conceitos simples, porém poderosos, que já expliquei lá atrás, no Capítulo 4, e que vão nos guiar durante este capítulo e pelo restante do livro.

Só para lembrar, todos nós exercemos diversos papéis na vida (pai, marido, filho, empresário, colaborador de uma empresa e outros) e cada papel desses tem várias funções no dia a dia.

Vimos também que existem vários tipos de atividade e que podemos classificá-las em tarefas de produção e de ocupação; as de produção podem ser com margem ou sem margem, e as de ocupação se dividem em obrigatórias, ou seja, que precisam ser feitas, e dispensáveis, que são as piores de todas e que sequer deveriam estar sendo realizadas.

E, dependendo do volume do tipo de tarefa que cada pessoa realiza no seu dia, associado ao nível de realização e esforço dispendido para alcançar essas conquistas, podemos classificar a produtividade entre os níveis A, B, C, D ou E, sendo A o melhor, e E, o pior.

Se o que eu acabei de dizer não estiver muito claro para você, sugiro que retorne ao Capítulo 4, pois lá, explico de forma mais detalhada. Do contrário, vamos em frente!

Produtividade Nível A e a lógica da bandeja equilibrada

De todos os conceitos que estamos relembrando aqui, o mais importante é que produzir de forma inteligente é desenvolver os papéis certos mantendo os demais equilibrados. Imagine um garçom que precisa servir o pedido para o melhor cliente do restaurante. O cliente sentou-se a uma mesa mais distante, no canto do salão, o garçom se preparou, colocou tudo que era importante na bandeja, que está bastante cheia. Ele equilibra a bandeja entre os dedos, apoiando-a na mão e começa a se aproximar do cliente.

No caminho, ele precisa equalizar a velocidade para que a comida não chegue fria, como também para que não caia durante o percurso até o cliente.

O garçom simboliza cada um de nós, e o cliente, aquilo que queremos alcançar para nossa vida. O pedido que está na bandeja são as coisas, pessoas e tudo o mais que importa para nossa vida e, por fim, os dedos do garçom que sustentam a bandeja são os papéis que exercemos na vida.

Sempre que algum papel que exercemos é negligenciado ou deixado de lado, o que acontece na prática é que a bandeja desequilibra e pode ser que algo importante caia no chão no trajeto até o cliente, até onde queremos chegar em nossa vida.

E, se isso acontecer, pode ser que algo que caia dessa bandeja seja realmente importante para você, talvez sua saúde, porque seu papel pessoal ficou negligenciado, ou seus relacionamentos mais próximos, como o casamento ou a relação com seus filhos. Quantas vezes vi pessoas se arrependerem porque não tiveram nem tempo de se despedir dos próprios pais antes de eles partirem. Essas pessoas lamentam porque estavam tão ocupadas com outros papéis na vida que não deram a devida importância ao papel de filho e filha.

Ou em cenários tão ruins quanto ou até piores, pessoas que negligenciaram o papel de pais e, quando se deram conta, os filhos cresceram e se envolveram com drogas ou desenvolveram comportamentos típicos decorrentes da ausência materna e paterna.

O fato é que, para onde se olha, o cenário beira o desespero, seja pelo fato de que algo muito importante pode cair da bandeja ou porque, quando um papel se desequilibra, a bandeja também se desequilibra como um todo e a caminhada até o melhor cliente, que representa a construção da fotografia do seu quebra-cabeça, fica completamente prejudicada.

Para resumir o que acabei de falar, podemos dizer que o sucesso é conseguir levar a bandeja até o melhor cliente do restaurante para servi-lo, equilibrando-a com perfeição para que tudo que é de fato importante para sua vida não caia pelo caminho, pois só assim a caminhada terá valido a pena.

E aqui eu quero lhe fazer um desafio, um desafio que vamos executar juntos. Quero que registre abaixo cinco coisas, relacionamentos, cuidados, características, pessoas que sejam de fato importantes para você, importantes a ponto de que, se você chegar lá na frente e alcançar absolutamente tudo o que desenhou para sua fotografia, se essas pessoas não estiverem junto de você, nada terá valido a pena.

Como prometi que faríamos juntos esse exercício, neste exato momento estou pensando na minha lista:

1. Estar presente com meus filhos, afinal, eles vão crescer e eu não quero ter perdido essa fase.
2. Manter contato diário com meus pais, que moram em outra cidade, e contato regular com minha família, e estou incluindo também a família da Paty como minha.
3. Ter tempo de qualidade com a Paty, que eu amo imensamente.
4. Cuidar da minha saúde, separando tempo para meditar e praticar atividade física diariamente.
5. Ajudar ao próximo desconhecido, pois acredito que só evoluímos pela caridade. Nada terá valido a pena se todas as minhas conquistas tiverem sido usadas só para meu próprio proveito ou de pessoas que amo e são próximas.

É claro que essa lista pode mudar a qualquer momento, mas é isso que precisa se manter intacto na minha bandeja para o momento em que eu chegar até o cliente mais valioso. Se algo dessa lista cair pelo caminho, dificilmente a felicidade da chegada vai ultrapassar a dor da perda.

110 Geronimo Theml

E qual é a sua lista? Escreva-a a seguir. É fundamental que se mantenha presente em relação a tudo o que há na bandeja, para que tudo fique intacto dentro dela até chegar ao seu objetivo.

1._____

2._____

3._____

4._____

5._____

Os ciclos da vida moderna

Atualmente, uma edição de um jornal como o *New York Times* contém mais informação do que uma pessoa comum poderia receber durante toda a vida na Inglaterra do século XVII[6] e esse é só um exemplo da velocidade com que as informações chegam a todo mundo nos dias de hoje e de como a vida é muito mais acelerada.

A quantidade de papéis que um ser humano exerce nos dias modernos é muito maior do que no passado. As conexões sociais estão mais complexas e exigentes. Cada vez se exige mais. O que era um diferencial em um currículo pessoal no passado torna-se básico nos dias modernos.

Isso demonstra que, se pensarmos a vida em ciclos diários, o sentimento de frustração será tão grande que a mentalidade e a energia serão completamente sugadas, a ponto de o indivíduo ficar paralisado diante do sentimento de impotência de gerir tudo que precisa ao longo de cada dia. É absolutamente impossível dar atenção a todos os papéis que desempenhamos na vida todos os dias.

---

6. Conforme matéria publicada na revista *Veja*, ano 34, n. 35, pp. 62-6, 2001. Disponível em: <http://www.unesp.br/proex/opiniao/veja2.htm>. Acesso em: 10 mar. 2016.

Aqui está uma primeira mudança concreta do MPI. Vamos pensar nossa vida não mais em ciclos diários; a partir de agora você vai pensar em ciclos semanais, inclusive usando o número da semana como referência. Um ano tem 52 semanas e em alguns países é comum utilizar o número da semana como referência de tempo.

E só para deixar claro, mesmo passando a pensar a vida em ciclos semanais, ainda assim é impossível que a cada semana todos os papéis sejam cuidados diretamente, mas com essa nova referência de tempo é possível manter os papéis equilibrados e sempre ter, ao menos, um papel que seja trabalhado de modo proativo para construir a fotografia do quebra-cabeça.

Vamos começar agora a condensar tudo o que falei até aqui, todos esses novos conceitos introduzidos, e tudo vai fazer sentido. Vou mostrar exatamente como aplicar tudo isso à sua vida.

Na prática, a organização do seu ano, do seu mês, da sua semana e dos seus dias precisam estar concatenados. Não adianta você ter uma meta que não condiga com o seu ciclo semanal nem com suas atividades diárias. É por isso que no MPI partimos do macro, que é a fotografia do quebra-cabeça, passando pelo ciclo semanal até chegar às atividades do seu dia.

O ciclo semanal

É claro que tudo que falamos até aqui já é o método, mas agora vamos falar dele propriamente, de como você pode pegar tudo que aprendeu até aqui e aplicar ao seu dia a dia. Vamos começar pela organização da semana.

Para este ciclo, você precisará dedicar quinze minutos semanais.

Você já entendeu que, mesmo pensando a vida em ciclos semanais, é inviável cuidar de todos os papéis que desempenha nela nesse período de tempo. Nosso grande propósito será manter os papéis equilibrados, para que nada que está na bandeja caia pelo caminho, e para que haja sempre algum papel desenvolvido naquela semana.

Ou seja, a cada semana, nos concentraremos exclusivamente em três papéis da vida.

Quando chego a esse ponto, algumas pessoas me perguntam coisas do tipo: "Mas, Geronimo, não são poucos papéis para eu me concentrar semanalmente? Será que não vai demorar demais para eu construir a fotografia do meu quebra-cabeça?".

A resposta é bastante simples, verdade número quatro: mais importante que a velocidade é a direção. Testei diversos números de papéis por semana até chegar à quantidade ideal. Em um primeiro momento, pode até funcionar, mas é justamente esse o problema, querer avançar rápido demais em pouco tempo trará mais frustração do que realização, e o não gerenciamento adequado das tarefas e dos papéis destrói os pilares da mentalidade vencedora e da energia, fazendo a produtividade ruir como um todo.

Então, confie e faça e, mais do que isso, você não precisa acreditar em mim só pelo que está lendo neste livro, precisa acreditar no método pelos resultados que ele já trouxe para centenas de pessoas e que trará a você quando colocá-lo em prática.

Vamos precisar agora do pilar da Clareza Eficaz e da fotografia do quebra-cabeça que você já fez de tudo o que quer realizar dentro dos quatro elementos essenciais da felicidade. Se não preencheu o quadro ainda, agora é uma ótima oportunidade de voltar ao capítulo anterior e preencher as lacunas que descrevem o que você precisa alcançar para ter realização pessoal, profissional, realização financeira e total equilíbrio entre os papéis da sua vida.

Em outras palavras, o que vamos fazer é criar o **ciclo semanal** – é o nome desta ferramenta por meio da qual é possível ter clareza em relação às atividades que serão feitas durante a semana que vem pela frente. Para isso, basta **se sentar em um lugar agradável no fim de semana, preferencialmente no domingo,** mas pode ser também no sábado ou na sexta-feira, sempre à noite, mas nunca no início da semana. Leve com você a fotografia do seu quebra-cabeça, uma folha de papel e uma caneta, nada além disso, até porque, segundo Leonardo da Vinci, a simplicidade é o último nível da sofisticação.

Coloque a folha de papel na horizontal e faça duas linhas de ponta a ponta, uma na horizontal e outra na vertical, dividindo a folha em quatro partes iguais. Vai ficar mais ou menos assim:

Quadrante 1 Papel de Equilíbrio	**Quadrante 2** Papel de Equilíbrio
Quadrante 3 Papel Proativo	**Quadrante 4** Diversos

Preencha os **Quadrantes 1 e 2**, que estão na parte de cima, com um único papel de equilíbrio, totalizando dois. Ou seja, você vai registrar ali aqueles papéis que mais precisam de atenção neste momento para conseguir manter o equilíbrio.

É possível que alguns papéis tenham diversas funções, como já vimos, então não é de estranhar que em vez de lançar um papel você opte por lançar uma função daquele papel. Por exemplo, no meu papel de educador ou treinador, pode ser que em algum momento eu precise dar atenção à Academia da Produtividade, mas sem precisar me ater aos demais treinamentos, então, não preciso escrever "educador" ou "treinador", posso escrever Academia da Produtividade.

No Quadrante 3, você vai selecionar um papel ou função proativa, ou seja, algum papel em que você vai se concentrar para avançar de forma mais concreta em direção à fotografia do seu quebra-cabeça.

O Quadrante 4 corresponde a uma área de tarefas variadas que não se enquadram em nenhum dos papéis escolhidos, mas precisam necessariamente ser executados. É nesse quadrante também que vamos fazer a higienização de depósito do "tem que". Falaremos disso ainda neste capítulo.

Depois de definir quais são os três papéis ou as três funções que vão entrar naquele ciclo semanal, chegou a hora de lançar todas as tarefas que precisam ser feitas referentes a cada um dos papéis ou funções. Simplesmente liste tudo que estiver pendente em relação àquele quadrante. As tarefas que você lembrar que de fato deveriam ser executadas naquela semana, mas que não fazem parte de nenhum dos três quadrantes selecionados, registre em "Diversos".

Agora um alerta! Não fique "criando tarefas" que sequer são relevantes ou que você nunca nem considerou fazer antes. O objetivo nesta ferramenta do ciclo semanal não é ser criativo, mas apenas descarregar tudo que estiver pendendo sobre aquele papel ou função.

Antes de seguir, uma dúvida muito comum que surge aqui é: "Mas que papéis devo escolher?". E a resposta é muito simples! Faça o exercício e você saberá!

Por mais enigmática que possa parecer a resposta, é exatamente isso que vai acontecer. Quando você parar para fazer o seu ciclo semanal e pensar quais papéis precisam de atenção na semana, posso garantir que eles virão à cabeça. Quanto aos papéis de equilíbrio, provavelmente entrarão aqueles que já estão há algum tempo requerendo atenção e com certeza causarão incômodo quando você se lembrar deles.

Por exemplo, lembro que teve uma época em que eu tinha um Nível C de produtividade e por isso não sobrava muito tempo para cuidar de mim mesmo. Acabei ficando anos sem ir ao médico, sem fazer exames de rotina. Então, meu papel Geronimo, mais especificamente a função saúde do Geronimo, estava me incomodando muito. Quando sentei para fazer o meu ciclo semanal, aquele papel virou um dos quadrantes e eu pude registrar tudo que era necessário para voltar a me sentir equilibrado.

Higienização do depósito do "tem que"

No capítulo sobre as verdades, você aprendeu que a melhor forma de lidar com a *síndrome do "tem que"* é criando um DTQ – Depósito do Tem Que. Algo sobre o qual não tínhamos falado ainda, é como gerenciar aquela listagem que, se não cuidada, pode, com passar do tempo, virar um monstro indomável.

Então, durante o ciclo semanal, depois de ter feito a seleção dos papéis e de ter descarregado as tarefas correspondentes, é o momento de fazer a higienização do DTQ de forma muito simples. Você vai apenas abrir o depósito e verificar rapidamente o que consta ali.

Posso garantir que você terá diversas surpresas muito agradáveis. Muito provavelmente diversos "tem quês" que você depositou nem precisarão mais ser executados, porque eles não têm mais importância ou acabaram se concretizando sozinhos. Já registrei lá "lavar o carro com urgência" e muitas vezes acabo indo ao shopping e o deixo no lava-rápido enquanto passeio com a família. Eu precisava "falar com a professora da Carol", acabei encontrando-a por acaso e já aproveitei para fazer a pergunta que precisava.

O mais maravilhoso disso é que, quando veio à minha cabeça que precisava lavar o carro, falar com a professora da Carol e tantos outros "tem que", não precisei despender energia pensando em algo que não poderia ser feito naquele exato momento. E, depois, quando fui higienizar o DTQ, vi que a tarefa já tinha sido executada naturalmente.

É claro que, várias tarefas ainda precisarão ser feitas, e se tiver chegado a hora de dar atenção a ela, basta inseri-la no quadrante de "Diversos" do ciclo semanal.

E as demais tarefas que ficaram no DTQ? Ora, elas permanecem lá para serem analisadas na próxima higienização, afinal, conforme a verdade número dois, as tarefas nunca terão fim e não há o menor problema nisso.

Prioridades diárias e a folha de produtividade A

Estamos caminhando do macro para o micro. Da fotografia do quebra-cabeça para o ciclo semanal, e agora para o dia a dia. Aqui, tenho uma notícia incrível para você. Fui desenvolvendo uma ferramenta ao longo de todo o meu estudo para produzir com Nível A, até que cheguei à folha diária de produtividade A.

Fui adaptando essa folha diante das necessidades dos milhares de alunos que já passaram pela Academia da Produtividade, até que cheguei a este modelo final, que facilita, organiza e direciona de forma definitiva o dia a dia de quem a utiliza. Ousaria dizer que ela por si já aumenta substancialmente o nível de produtividade de quem a usa, mas se utilizada em conjunto com a fotografia do quebra-cabeça, com o ciclo semanal e o DRD que ainda vou ensinar (uau!), o resultado será imensurável, tanto em relação à produtividade, quanto à cura da procrastinação e o estabelecimento do equilíbrio.

Para baixar o PDF da folha de produtividade A e aplicá-la ao seu cotidiano é só acessar o endereço abaixo. Lá, inclusive, você vai encontrar uma aula on-line gratuita de como utilizar a folha e tirar o máximo proveito dela.

https://livros.geronimo.com.br/folha-fpa

Produtividade para quem quer tempo   117

PRODUTIVIDADE

Data:

Foco do dia:

Prioridades:

☐
☐
☐
☐
☐

Para evitar no dia:

1.
2.
3.

Como foi o meu dia   (de 0 a 10)

O que eu aprendi hoje

Hoje eu sou grato(a) por

1.
2.
3.

ACADEMIA DA
PRODUTIVIDADE   PRODUTIVIDADE

Como preenchê-la? Vou listar a seguir quais são os campos existentes na folha.

Foco do dia: aqui é só uma referência genérica sobre qual será o seu maior foco no dia seguinte. Pode ser a tarefa mais relevante ou algo mais genérico, como uma função de um dos papéis que você selecionou quando preencheu o ciclo semanal. No meu caso, como professor e treinador, acabo desenvolvendo muito conteúdo e muitas vezes subdivido os vídeos que preciso gravar em meio às tarefas do dia. Tenho muitas folhas de produtividade em que as cinco tarefas do dia são vídeos que preciso gravar, então, no "foco do dia" eu registro "gravação de vídeos".

Durante o período em que escrevi este livro, várias vezes o item "escrever o livro" apareceu na minha folha de produtividade como foco do dia.

As cinco prioridades: aqui serão registradas as cinco prioridades do dia! Elas devem ser retiradas do seu ciclo semanal, daqueles itens que você registrou nos quadrantes referentes aos papéis e no quadrante do "diversos". Pegue seu ciclo semanal, que foi feito no domingo, e escolha cinco tarefas que entrarão para a sua folha de produtividade A do dia seguinte.

Este número precisa ser respeitado e há uma razão para isso. No século passado, um rapaz abordou Charles Schwab, um empresário milionário, dizendo que tinha uma dica de produtividade a qual ele deveria usar por um mês. Só depois desse mês, ele deveria pagar por ela, quanto considerasse que a dica valia. Um mês depois, o milionário enviou um cheque de 100 mil dólares para o rapaz, que, se atualizados, valeriam milhões de dólares.[7]

---

7. Conforme o livro *Como salvar uma hora todos os dias*, de Michael Heppell. São Paulo: Editora Gente, 2013.

A dica era extremamente simples. Ao final de cada dia, Schwab tinha de escrever num papel quais seriam as cinco tarefas mais importantes que executaria no dia seguinte. Só isso e mais nada.

Meus estudos para encontrar o número ideal chegaram às cinco tarefas por esse motivo, e testei folhas com mais e com menos tarefas, eu mesmo as preenchi, e empiricamente, o número de cinco tarefas foi o que me trouxe melhores resultados.

Para evitar no dia: todos os dias temos uma enxurrada de distrações que roubam nossa valiosa produtividade. Uma das formas mais simples e eficazes para evitá-las é o poder da clareza. O simples fato de saber quais são nossas distrações nos permite estar conscientes do efeito danoso que elas têm.

Aqui, é comum que sejam registradas as tarefas de ocupação dispensáveis que mais roubam o seu tempo. Na minha folha de produtividade A costumo incluir sites de notícias esportivas que, se me distraio, acabam com a minha produtividade. No meu caso, também entram nesse tópico pesquisas de novos softwares, ferramentas e por aí vai.

No entanto, nem sempre vão entrar aqui atividades de ocupação dispensáveis. Para ter uma ideia, quando preciso me concentrar para escrever artigos técnicos ou mesmo enquanto escrevo este livro, mais de uma vez registrei que deveria evitar minha equipe da empresa, pois era comum que eles viessem tirar dúvidas ou falar sobre algum outro assunto importante quando me viam, e isso tirava muito o meu foco.

Resumindo, seja o que for que você tiver definido como o "foco do dia" e "prioridades do dia", você precisa lançar nesse campo três atividades que deverá evitar no dia seguinte para que não tenha a produtividade prejudicada.

Como foi o meu dia: basta atribuir uma nota entre zero e dez em relação ao rendimento que você teve naquele dia. Relaxe, não há critério objetivo, o mais importante aqui é deflagrar em você um processo de análise autocrítica sobre como foi seu dia.

O que aprendi hoje: neste campo você deverá registrar o seu aprendizado do dia. De modo geral, se você se atribuiu uma nota alta, provavelmente lançará aqui alguma ação ou atitude que funcionou e o auxiliou na obtenção daquele resultado.

Se a sua nota tiver sido ruim, é provável que seu aprendizado esteja relacionado a algo que precisa ser melhorado.

Como as folhas de produtividade A devem ser guardadas, posso garantir que depois de algum tempo, quando você voltar a elas para rever seus aprendizados, vai se deparar com informações valiosas. Uma das coisas mais valiosas que escrevi até hoje foi que não adianta programar mais do que cinco tarefas para o dia seguinte, porque isso só gera ansiedade e frustração.

Lembro-me de ter lido esse aprendizado umas duas semanas depois de tê-lo escrito, e confesso que nem lembrava mais dele, mas foi uma resposta dada por mim mesmo aos meus experimentos sobre inserir um número maior de tarefas na folha.

Hoje sou grato por: para terminar o dia, você deve lançar na sua folha três acontecimentos pelos quais é grato. Não precisam necessariamente ser grandes conquistas, aliás, quem aprende a ser grato pelas coisas simples da vida acaba tendo um nível mais elevado de resiliência e, automaticamente, de felicidade.

Por fim, existem regras para preenchimento da folha de Produtividade A que precisam necessariamente ser respeitadas:

1. Ela só pode ser preenchida como última tarefa do dia profissional ou à noite, em casa.
2. Jamais deve ser preenchida no começo do dia seguinte.
3. A quantidade de cinco tarefas precisa ser respeitada, portanto, não registre nem menos nem mais. Se, porém, tiver de infringir esta regra, coloque menos de cinco tarefas, mas jamais ultrapasse esse número.

4. As três gratidões do dia também precisam ser respeitadas. Se não tiver algo grandioso por que ser grato, agradeça pelas coisas simples do dia a dia.

Acredite, existe uma inteligência enorme por trás de cada regra e cada detalhe dessa folha. Nada nela é aleatório.

Para terminar, a folha de produtividade é dividida em duas partes, o lado esquerdo, que são os três primeiros campos e tem como propósito preparar o dia seguinte, e o lado direito, que busca fazer uma avaliação do dia que se encerrou.

Na vida real, seria mais ou menos assim: imagine que são 8 horas da noite e você está em casa preenchendo a folha de produtividade. O primeiro passo é avaliar o dia de hoje, usando a folha que foi planejada ontem. Pense assim, primeiro você preenche o lado esquerdo (avaliação) da folha que teve o lado direito (planejamento) preenchida no dia anterior.

Depois de concluir a avaliação, pegue uma nova folha de produtividade A em branco e planeje o dia seguinte. No final do dia seguinte, é só seguir a mesma ordem.

DRD – Uma evolução da agenda

A última peça para completar o Método de Produtividade Inteligente é aprender a compactar a agenda de ocupação para abrir espaço para a agenda de produção. Em outras palavras, é aprender a realizar as tarefas de ocupação obrigatórias de forma mais otimizada para abrir espaços na sua semana para inserir novas atividades de produção que o levarão a montar a fotografia do seu quebra-cabeça.

DRD é um acrônimo de: **D**escarregar, **R**eunir e **D**istribuir.

Descarregar é o ato de colocar no papel absolutamente todas as tarefas que fazem parte da sua rotina, sejam elas de ocupação, obrigatórias e dispensáveis, ou de produção, com margem e sem margem.

Absolutamente tudo que você fizer numa semana, referente a todos os papéis que você exerce, precisa estar neste passo. Tarefas como fazer compras no supermercado, ir à academia, à igreja, a reuniões, responder e-mails e mensagens de WhatsApp, obrigações do trabalho, levar e buscar o filho na escola, etc.

Reunir é pegar todas as tarefas descarregadas no momento anterior e agrupá-las por **blocos de similaridade**.

Por exemplo, em vez de passar o dia respondendo e-mails, mensagens de WhatsApp, de Skype, redes sociais e outros meios de comunicação, reuni tudo isto no que chamei de "bloco de respostas".

Como sou coach e faço atendimentos individuais, antigamente distribuía os atendimentos ao longo da semana, o que me obrigava a interromper o que quer que estivesse fazendo para preparar a sessão, organizar o ambiente e estudar o caso que eu estava prestes a atender. Agora, com o DRD, reuni todos os atendimentos num único turno da semana.

Como empresário, regularmente estou fazendo reuniões externas com parceiros de negócios, pessoas que me apresentam novas oportunidades ou compareço a reuniões de acompanhamento de projetos que já estão em andamento. No meu caso, separei um dia inteiro para reuniões externas. No momento em que estou escrevendo este livro, separei as quartas-feiras para isso; na prática, quando alguém me pede uma reunião digo que tenho livre algum horário na próxima quarta.

Outra coisa que agrupei foram as minhas gravações. Em geral, todos os dias eu gravava algum vídeo para o meu canal do YouTube ou alguma aula nova para meus alunos. Todos os dias precisava acender as luzes, preparar a câmera, organizar o estúdio e uma série de outras pequenas tarefas para conseguir gravar.

Depois que implementei o DRD, defini o dia da gravação, e, em vez de fazer várias pequenas gravações ao longo da semana, paro por um turno inteiro e gravo todo o conteúdo de uma só vez. É interessante que, em termos de dedicação semanal, invisto menos tempo total e produzo substancialmente mais vídeos.

Esses são só alguns exemplos que talvez não tenham nenhuma relação com a sua realidade, mas o importante é você entender que existem duas formas de reunir as atividades. Uma delas é agrupar atividades similares entre si, como é o caso do bloco de respostas, outra é separar todas aquelas tarefas que eram pulverizadas ao longo da semana e reuni-las no mesmo turno ou no mesmo dia.

Quando você deixa de pular de uma atividade para outra, ganha em foco, pois realiza diversas atividades do mesmo tipo em sequência e, ao mesmo tempo, deixa de desperdiçar tempo entre a mudança de uma atividade para outra.

Distribuir é pegar todos os blocos de atividades que você reuniu no passo anterior e dividi-los pelos turnos da semana.

Quando meus alunos da Academia da Produtividade e clientes em coaching individual fazem seu DRD pela primeira vez, é muito comum que surja o sentimento de: "Nossa, olhando assim, parece que tenho poucas coisas para fazer, nem acredito". A sensação é de que cabe, de que, com organização, até sobra tempo.

> ⚠️ MUITO IMPORTANTE: lembre-se de que o nível de detalhamento do seu DRD estará diretamente ligado ao seu perfil. Algumas pessoas gostam de ter o controle total de seus próximos passos, e isso faz com que se sintam confiantes. Outros se sentem como robôs quando têm um esquema a ser seguido durante a semana.

Então, você pode criar seu DRD com base no seu perfil. Seja extremamente detalhista na criação do DRD ou apenas se preocupe em reunir atividades para serem executadas em bloco. Em qualquer um dos cenários, sua produtividade aumentará substancialmente e sua agenda de ocupação abrirá espaço para a de produção.

Seguindo adiante, para distribuir as tarefas pela semana, você precisa decidir se fará um DRD de cinco, levando em consideração apenas os dias úteis, ou um DRD de seis, incluindo um dia do fim de semana, ou ainda um DRD de sete. Quem opta por este último prefere planejar todos dias da semana.

O DRD pode ainda ser para um, dois (manhã e tarde) ou três turnos de um dia (manhã, tarde e noite).

Quem, por exemplo, escolher planejar seis dias da semana, de segunda a sábado, durante os turnos da manhã e da tarde, deixando livre as noites e o domingo, terá um DRD de seis por dois ou 6×2.

A escolha por ter um DRD de cinco, seis ou sete dias, com um, dois ou três turnos, dependerá das características individuais. Pessoas com muitas tarefas, que têm grandes planos e querem concretizar a fotografia do seu quebra-cabeça mais rápido, costumam planejar os três turnos do dia e muitas vezes distribuem tarefas pelos seis dias da semana, criando um DRD de 6×3.

Quando ainda era advogado da União, ao mesmo tempo coach de agenda lotada e ainda fazia um curso de empreendedorismo digital, eu precisava de um DRD de 7×3, pois tinha de utilizar todos os dias de forma programada para que tudo funcionasse como eu gostaria. Atualmente, como já pedi exoneração do meu cargo público há um tempo e a empresa está crescendo de forma organizada, consigo ter um DRD praticamente de 5×2 com algumas exceções em que tenho de trabalhar à noite.

Outro aspecto que pesa na hora de decidir usar um DRD mais enxuto ou um que ocupe todos os dias da semana está relacionado ao perfil de cada um. Alguns são mais analíticos, gostam de organização, enquanto outros são menos analíticos e preferem ter menos controle para não se sentirem robotizados e engessados pelo próprio método.

A princípio, sugiro que você inicie distribuindo suas tarefas num DRD de 5×3 e, apenas se as atividades não couberem nele, amplie para um DRD de seis ou sete.

Como essa figura do DRD é completamente disruptiva e foge do tradicional, se você quiser aprofundar o conhecimento de forma gratuita ou apenas entender como tirar o melhor proveito dessa ferramenta, visite o link abaixo. Gravei uma aula sobre como criar seu DRD Nível A e você verá alguns exemplos de DRD reais tanto meus quanto de alunos da Academia da Produtividade:

https://livros.geronimo.com.br/aula-drd

Se não quiser, você não precisa assistir à aula complementar. Ela é um conteúdo de extensão e, mesmo que resolva não assisti-la, o conteúdo do livro é suficiente para que consiga implementar o DRD na sua rotina.

Os passos para você criar o seu primeiro DRD são os seguintes:

1. **Descarregue** – pegue uma folha de papel em branco e anote todas as atividades que você executa durante uma semana, incluindo as atividades de produção e de ocupação. Se tiver dificuldade de registrar todas, ande com um caderno para que ele se torne um espaço de insights e de coisas que você lembrou ou precisa lembrar de fazer por um tempo e vá anotando todas as tarefas que surgirem.

2. **Reúna** – olhando para as tarefas, junte em blocos aquelas que poderiam ser realizadas em conjunto, como é o bloco de respostas a todos os meios de comunicação.

3. **Distribua** – pegue uma folha e crie sua matriz de DRD com base no modelo escolhido inicialmente. Por exemplo, uma matriz 5×3 seria como a imagem que aparecerá mais abaixo, depois de todos os passos.

4. **Experimente** – teste o seu DRD inicial, pois é bem possível que, ao colocá-lo em prática, você perceba que alocou muito tempo para algumas tarefas e pouco para outras. Pode acontecer também de perceber que poderia juntar outras tarefas em determinados blocos.

5. Reveja seu DRD com base no passo anterior e experimente-o mais uma vez. Lembre-se de que seu DRD jamais será definitivo e que ele precisará passar por ajustes regulares.

Matriz DRD 5×3

	Segunda	Terça	Quarta	Quinta	Sexta
Manhã					
Tarde					
Noite					

Lembre-se de que depois que seu DRD estiver completamente montado, ele tem a função de guiar a marcação dos seus próximos compromissos. Se por acaso você determinou um dia específico para reuniões externas, procure agendar as próximas sempre no dia determinado.

Além de todos os benefícios que um DRD bem-feito propicia, ele ainda vai refletir diretamente na energia, sobretudo do que é conhecido como *decision fatigue*, que é a diminuição da qualidade das decisões ao longo de um dia. No momento oportuno ainda falaremos sobre ele.

Fechamento do MPI da produtividade Nível A

Para concluirmos o raciocínio do MPI como um todo, agora com uma visão total, o método basicamente consiste nos seguintes passos:

1. Desenhar a fotografia do quebra-cabeça da forma correta (como você viu no capítulo anterior).
2. Fazer o ciclo semanal, uma vez de posse da fotografia, momento em que você decide quais papéis equilibrar naquela semana e qual será o preponderante para evoluir na construção da fotografia.
3. Preencher diariamente a folha de produtividade A, escolhendo no ciclo semanal quais tarefas serão prioridade no dia seguinte. Para otimizar, prefira as tarefas que estejam concatenadas com o DRD previsto para o dia seguinte. Ou seja, priorize tarefas que tenham relação com os blocos do dia seguinte.
4. Rever mensalmente o DRD para aprimorar a distribuição das tarefas e dos blocos, sempre com ênfase em reunir as tarefas em grupos que compactem as atividades de ocupação para abrir espaço para atividades de produção.

Agora vá lá e faça!

Capítulo 9

Mentalidade vencedora

*"Se você pensa que pode ou se pensa que não pode,
de qualquer forma, você está certo."*

Frase atribuída a Henry Ford

Existe um provérbio indígena que conta que dentro de cada um de nós existem dois lobos que brigam o tempo todo. Um lobo é mau, representa trevas, escuridão, raiva, inveja, culpa, ressentimento; o outro é o lobo bom, que representa luz, clareza, vontade de dar certo, alegria, esperança, serenidade e paz. Qual lobo vence a briga?

A resposta é: aquele que você alimenta.

Essa é uma metáfora perfeita para a maior batalha que todos nós enfrentamos, que é aquela que acontece dentro da gente. Se prestar bastante atenção, você perceberá que existe uma voz dentro de você, uma voz que tende a ser bem crítica e dura consigo mesmo, e que costuma dizer coisas do tipo: "não vai dar", "não vou conseguir", "é difícil demais", "é óbvio demais", "isso só serve porque é para ele", "ele não me conhece", e por aí vai...

Só para deixar claro, é óbvio que eu não estou me referindo aqui a nenhum caso de alucinação, estou falando de uma conversa que em geral temos com nós mesmos. Algumas pessoas chegam a balbuciar e andar na rua como se estivessem falando sozinhas; é quase isso, mas, na verdade, elas normalmente estão falando é consigo mesmas.

Vamos chamar essa voz bem crítica, que costuma nos colocar para baixo, de "nosso Zeca Urubu". Repito, todos temos um Zeca Urubu interior e, se você ainda não o percebeu, garanto que agora que sabe que ele existe, em breve vai ouvi-lo. E, só para registrar, como eu contei no início do livro, o "Tá vendo que não vai dar?" era o Zeca Urubu quem vivia me dizendo.

Ter uma mentalidade vencedora é basicamente estar pronto para vencer essa batalha interior na maioria das vezes em que for necessário, e ela está acontecendo, queira você ou não, praticamente todos os dias da sua vida. Ela acontece na hora que o despertador toca, quando temos de decidir se vamos para a academia ou não, se vamos preencher a folha de produtividade hoje ou não, se vamos implementar um novo método na nossa vida ou se vamos continuar agindo como de costume, e esses são só alguns exemplos das infinitas batalhas que enfrentamos a cada dia.

São tantas batalhas que melhor do que aprender a lutar contra cada uma delas isoladamente é ter a postura de uma mentalidade vencedora em todos os aspectos da vida, o que vai deixá-lo pronto para o que der e vier.

É disso que vamos falar neste capítulo.

Neutralizando o Zeca Urubu

Reconhecer a existência de uma voz interior que é extremamente crítica e não se identificar com ela já é um ponto fundamental para você ter uma mentalidade vencedora, mas existe o próximo nível, que é aprender a neutralizar o Zeca Urubu, neutralizar esse crítico interno que todos nós temos.

Basicamente, o que acontece é que você é uma pessoa que tem pensamentos; o problema é que quando esses pensamentos se tornam repetitivos, eles acabam se transformando em sentimentos e, a partir daí, esses sentimentos passam a alimentar os pensamentos e o processo se torna um círculo vicioso.

Se você tem um pensamento repetitivo sobre algo ruim que pode acontecer, mesmo sem ter acontecido, acaba instalando um sentimento de medo e, quanto mais medo você tiver, mais pensamentos ruins virão e gerarão ainda mais medo. E nessa história toda, você deixou de ser você mesmo e se tornou uma pessoa tomada por pensamentos e sentimentos que não fortalecem a sua mentalidade.

A neutralização do Zeca Urubu nada mais é do que estabelecer uma frase que interrompa o pensamento antes que ele se torne repetitivo a ponto de instalar um sentimento. Lembra-se de quando eu dizia: "Tá vendo que não vai dar"? Quanto mais eu repetia aquela frase, mais eu sentia frustração, impotência, medo de morrer daquele jeito, e todos esses sentimentos alimentavam ainda mais meu pensamento. Esse processo se estendeu ao longo de anos.

Até que criei a minha frase: "Se fosse fácil, todo mundo faria." e todas as vezes que o pensamento de que não daria certo ou qualquer outro pensamento negativo surgia, eu repetia essa frase para mim. Algumas vezes dizia: "Cale a boca, Zeca Urubu, porque se fosse fácil, todo mundo faria". Na verdade, naquela época o meu crítico interno tinha outro nome, eu o chamava de "Seu Zezé" e não me pergunte por quê, não faço a menor ideia.

Atualmente, para designá-lo de modo mais universal, aceitei a dica da Larissa, do meu time da Full Ideias, e batizamos o crítico interno de Zeca Urubu.

E por falar em Zeca Urubu, um dia desses eu estava conversando com o Arthur, um amigo que mora em São Paulo, que estava passando uns dias no Espírito Santo e foi até meu escritório. Ele é consultor empresarial, tem 31 anos, possui clientes espalhados por todo o Brasil e estava me mostrando o DRD dele.

Ele tinha descarregado e distribuído tudo pela agenda, mas não havia agrupado as tarefas em blocos para otimizar o tempo. Na agenda dele, havia reuniões marcadas praticamente em todos os dias, tarefas administrativas espalhadas de maneira aleatória, enfim, não havia um bloco de respostas, era algo impossível de funcionar.

Quando vi aquilo, que mal dava para chamar de agenda, que dirá de DRD, eu disse que não era a semana dele que tinha de ditar o DRD, mas o DRD é que tinha de ditar a semana. Em outras palavras, o seu DRD não tem de ser feito em razão dos acontecimentos da semana, tem de ser exatamente o oposto; você precisa direcionar os acontecimentos da semana em função do que tiver no seu DRD.

Foi aí que veio uma das maiores mentiras que o Zeca Urubu pode contar para alguém. O Arthur me disse: "Mas no meu trabalho é impossível fazer desse jeito".

Já ouvi muitas variações dessa frase, como: "Você não sabe como é minha vida", "Você consegue porque é rico", "Você consegue porque é pobre", "Na minha cidade não tem como implantar isso", "Você consegue porque é dono do seu próprio negócio", ou ainda exatamente o contrário: "Você consegue porque é empregado, queria ver se conseguiria fazer isso se tivesse seu próprio negócio".

E o processo funciona mais ou menos assim. Para quem ouve o Zeca Urubu e acredita nele, se a pessoa é empregada de uma empresa diz que o outro consegue porque é empresário e pode sair a hora que quiser e fazer o que quiser, mas se a mesma pessoa fosse o empresário, provavelmente diria que o outro só consegue porque só precisa cumprir a jornada de trabalho e ir embora, e que duvida que ele conseguisse se fosse o dono do negócio e tivesse de trabalhar muito mais que todo mundo.

Bom, o que acontece na prática é que o Zeca Urubu trabalha com muita força para convencer que as mudanças positivas não são possíveis na sua vida em razão de alguma característica do seu trabalho, da sua cidade ou da sua família. O Zeca Urubu ainda tenta convencê-lo de que o problema é alguma limitação financeira, enfim, ele sempre apresenta uma razão para dizer que no seu caso aquilo não vai funcionar.

Resumindo, expliquei para o Arthur que eu só atendia como coach em determinado dia à tarde, e que meus clientes me pagavam múltiplos de seis dígitos pelo atendimento, e que eles não tinham escolha, era naquele dia ou nada, por causa do meu DRD, e que todos, sem exceção, se organizavam para se adequar ao meu DRD apesar do alto valor pago e da agenda completamente ocupada da maioria dos meus clientes. Como ele não tinha a frase de neutralização do Zeca Urubu ainda, a única coisa que conseguiu fazer foi esboçar um sorriso amarelo, ficar com as bochechas vermelhas e baixar a tela do notebook dele naquele momento.

Agora vamos voltar a falar de você. O importante neste momento é definir qual será sua frase de neutralização diante do "seu Zeca Urubu". Na dúvida, posso ceder a você, sem o menor problema, a minha frase de que "se fosse fácil, todo mundo faria", mas, no mundo perfeito, você deve criar a *sua* frase, uma que se conecte aos seus pensamentos e sentimentos que o impedem de ter uma mentalidade vencedora Nível A.

Quanto mais personalizada e concatenada com seus pensamentos e sentimentos a frase estiver, melhor.

E como estamos falando disso agora, vamos aproveitar e já criar essa frase e, para tanto, basta ir até a página seguinte e responder exatamente o que eu perguntar. Lembre-se sempre de não racionalizar demais, procure ser espontâneo e dar preferência aos primeiros pensamentos que vierem, porque, em geral, esses são os mais puros e reais. Os outros pensamentos veem impregnados de pretextos e interferências do próprio Zeca Urubu.

Ao olhar para o momento mais recente da sua vida, que tipo de pensamento negativo se repetiu, mesmo que minimamente? Quais foram as mentiras que o Zeca Urubu andou contando para você?

_____

_____

_____

_____

Que sensação esse pensamento gerou em você? (Raiva, medo, insegurança, desespero...)

_____

_____

_____

_____

Que frase o Zeca Urubu, que perturbou sua cabeça por tanto tempo, merece ouvir? Pense em complementar a frase a seguir.

_____

Zeca Urubu, fique quieto (ou cale a boca), porque...

_____

_____

_____

_____

Obs.: essa frase precisa ser positiva e afirmativa. Crie uma frase no afirmativo do que deveria ser feito e não use a forma negativa. Em vez de: "Eu não vou me abater", use "Eu sou mais forte do que isso".

Onde está o seu foco e o veneno dos pretextos

As pessoas podem ser classificadas de diversas formas: pela cor da pele, pela altura, pela crença etc. Outro modo de classificá-las é observar que existem aquelas que se concentram no problema e as que se concentram na solução. Talvez você mesmo já tenha convivido com alguém que sempre, diante de uma nova ideia, rapidamente apresenta uma lista de empecilhos.

Se vai ter um amigo oculto na empresa e o valor estipulado para o presente é alto, essa pessoa reclama que não tem dinheiro, que está devendo, que se tivesse aquele dinheiro usaria para quitar uma dívida. Se, no entanto, o valor estipulado para a brincadeira for baixo, ela diz que é impossível comprar um presente com aquele valor, que não tem como achar nada naquele preço, que era melhor nem fazer.

É claro que esse é um comportamento extremo e que nem todo mundo que tem foco no problema age dessa forma, às vezes esse mal é mais silencioso e aparece justamente nas pequenas dificuldades do dia a dia. Se não permanecermos atentos, o foco no problema vai se tornando uma barreira enorme para a construção da fotografia do quebra-cabeça que queremos para nossa vida.

Quando tomamos a decisão de mudar de vida, de fazê-la ser mais em qualquer campo, temos de enxergar que novas atitudes são necessárias em diversos aspectos da vida. O problema é que ter novas atitudes nos obriga a sair da nossa zona de segurança, da zona em que estamos habituados a atuar.

Estou chamando aqui de zona de segurança algo que as outras pessoas chamam de zona de conforto. É que para mim não tem conforto nenhum em ficar numa zona que não nos leva a alcançar aquilo que queremos para nossa vida.

De um jeito ou de outro, sempre que tentamos sair da nossa zona de segurança atual surge o Zeca Urubu com vários pretextos, dizendo que aquilo não vai acontecer, tudo para a gente se manter na zona de segurança atual. Por exemplo, já vi muita gente deixando de ter um Nível A de produtividade porque ficou ouvindo o Zeca Urubu dizer coisas do tipo: "Isso só serve porque é para ele, que é empresário e não tem chefe", ou "Duvido que ele conseguisse fazer isso se tivesse a minha vida", "Fazer atividade física tendo dinheiro para malhar numa boa academia é mole", e assim por diante.

Todas essas são frases típicas do Zeca Urubu, que busca pretextos para convencer você a permanecer exatamente onde está. Contudo, o foco no problema, patrocinado pelo Zeca Urubu, também age nas pequenas coisas, nos pequenos obstáculos do dia a dia e é justamente aí que ele é mais perigoso, pois passa despercebido da maioria das pessoas.

O problema aparece naquele momento em que a pessoa programou para estudar e, de repente, ouve um pequeno barulho que a incomoda e tira a atenção dela ou, então, justo no dia em que ela começaria a fazer atividade física colocaram o tênis para lavar, e assim por diante. Esses obstáculos paralisam e fazem a pessoa adiar o que tinha programado para fazer.

Quando qualquer pequeno problema aparece e essa pessoa tende a alimentá-lo, ele se mostra um pretexto perfeito, e a faz dizer coisas do tipo: "Puxa, logo hoje que eu programei para fazer isso acontece tal coisa". E o pior é que "tal coisa" é algo real, desculpa ótima que faz a pessoa passar a acreditar, a dizer para si e para os outros que não pode fazer algo porque aconteceu "tal coisa".

O importante é que você tenha em mente agora que é muito fácil identificar pessoas que têm foco no problema em grande escala, mas difícil é perceber essa outra forma de se concentrar em problemas, um comportamento que age como um inimigo silencioso, que vai se transformando num modo de agir que impede qualquer indivíduo de ter uma mentalidade vencedora e uma produtividade Nível A.

A boa notícia é que se concentrar na solução é uma habilidade que se adquire com conhecimento, prática e treino e, mesmo que você não se veja como uma pessoa que costuma se concentrar em problemas, vou descrever um exercício que todos precisam praticar para tirar o máximo proveito da vida, concentrando-se sobretudo na solução.

Vamos imaginar que eu estivesse de carro, a caminho de um casamento e o pneu furasse. Provavelmente, meu primeiro pensamento seria: "bom, preciso trocar o pneu".

O problema é que na época em que eu comia glúten e lactose à vontade, eu transpirava demais, algo que quase não acontece mais nos dias atuais, e mesmo me concentrando na solução, ou seja, em trocar o pneu, eu possivelmente ainda pensaria: "Caramba, se eu trocar o pneu, vou ficar ensopado de suor".

O problema de ter uma única opção é que podemos nos sentir numa prisão, uma prisão em que ou "faço isso" e "acontece aquilo" ou deixo para lá. Naquela situação, se eu trocasse o pneu do carro, ficaria completamente suado, e como que eu poderia ir para o casamento daquele jeito? Então, ferrou! Esse é o típico pensamento que aprisiona.

Um primeiro desafio é sempre buscar uma segunda possibilidade, por exemplo, eu poderia pensar: "Ou eu troco o pneu do carro e fico suado, ou posso ligar para algum amigo meu que more aqui perto para ver se ele pode vir até aqui me ajudar".

Bom, o que aconteceu agora é que com duas opções eu já tenho um DILEMA, ou faço isso ou faço aquilo, e, sinceramente, é muito melhor ter um dilema do que se sentir numa prisão. No entanto, para você que já chegou até aqui e está muito mais perto de atingir o Nível A de produtividade e de realização do que a maioria das pessoas que continua na zona de segurança, tenho um exercício ainda mais importante, que é achar a terceira opção.

No caso do pneu furado, eu poderia trocá-lo, chamar um amigo meu para me ajudar ou simplesmente pedir um táxi e deixar meu carro estacionado ali mesmo para, no dia seguinte, com tranquilidade, trocar o pneu e buscá-lo.

Agora eu não tenho nem uma prisão, nem um dilema. Passei a ter liberdade de escolha.

As outras opções que você visualizou enquanto lia este trecho do livro não são o ponto mais importante. O mais relevante é o hábito de sempre buscar três opções diante de cada situação problemática que se apresente no seu cotidiano. Este é o exercício e o desafio que o levará a se concentrar ao máximo na solução.

Depois de um tempo de prática, é incrível observar que, quando surge um problema, pequeno ou grande, você se torna um ser inabalável na busca pela solução. Lembro-me de um episódio ocorrido enquanto escrevia este livro, um momento que tive de viajar para São Paulo. Como havia muitas reuniões agendadas, resolvi viajar um dia antes para aproveitar ao máximo minha estada lá.

O problema foi que o dia anterior às reuniões era feriado na cidade de São Paulo. Como tenho foco na solução, pensei: "Opa, vai ser excelente para eu adiantar bastante o meu livro". Entretanto, quando cheguei lá, percebi que havia esquecido o carregador do meu notebook em casa, e como havia usado o notebook no voo, a bateria já estava praticamente no fim. Dito e feito. Em poucos minutos, a bateria acabou de vez.

Concentrando-me na solução, lembrei do meu tablet que sempre anda na mochila e do teclado portátil que levo para escrever pequenos textos entre uma pausa e outra. Abri minha mochila e... Ufa! O tablet estava lá, mas e o teclado? Não tinha levado também.

Ainda concentrado em encontrar a solução, comecei a tentar escrever no próprio teclado virtual do tablet, mas, não sei se você já tentou escrever por lá, é um ótimo dispositivo para responder e-mail ou postar algum comentário em uma rede social. No entanto, tentar escrever um livro por meio do *touch* de um tablet, posso garantir que é algo quase desesperador, porque, quando você tenta escrever depressa, ele engole algumas letras, e, quando escreve devagar, o trabalho não rende.

Enfim, justamente por continuar mantendo o foco na solução, acabei descobrindo que no teclado do tablet há um pequeno botão em formato de microfone que é um reconhecedor de voz que digitaliza tudo o que você fala e com um nível de precisão que eu não imaginava. Resultado: não só consegui escrever grande parte do meu livro, como aprendi uma forma nova e mais rápida de continuar escrevendo, e confesso que grande parte deste livro que você está lendo agora foi escrita assim, por meio de um comando de voz que eu emitia para o tablet, ou pelo celular, e depois repassava para o arquivo.

 AÇÃO CONCRETA: o que eu desafio você a fazer de agora em diante é sempre buscar três soluções para cada problema com que se deparar. O propósito disso não é simplesmente ter liberdade de escolha, mas levá-lo ao Nível A de concentração na solução.

Capítulo 10

Energia

"Mesmo quando são decisões pequenas, do tipo o que vestir, o que comer no café da manhã ou coisas assim, elas nos cansam e consomem nossa energia."

Mark Zuckerberg, fundador do Facebook[8]

Nem sempre tive o Nível A de produtividade, arrastei por muito tempo o Nível C e é bem possível que tenha chegado ao Nível D em alguns momentos, mas o fato é que eu não conseguia perceber que existiam níveis bem melhores, pois estava ofuscado pelos resultados que eu conseguira até ali.

Contudo, quando decidi que não morreria servidor público, percebi que o Nível C de produtividade não me levaria a construir a fotografia que eu queria, por isso, tinha de melhorar minha produtividade. No entanto, eu precisava trabalhar até mais tarde e, quando dormia, acordava no dia seguinte ainda me sentindo cansado. Naquela época, eu dormia entre cinco e seis horas por dia.

---

8. Zuckerberg: I wear same shirt daily for a reason. Disponível em: <http://www.cnbc.com/2014/11/07/5-things-we-learned-in-mark-zuckerbergs-facebook-qa.html>. Acesso em: 10 mar. 2016.

Resolvi que precisava de mais horas de sono, então, passei a dormir sete horas por dia, depois oito, mas continuava me sentindo cansado. De nada adiantava ter construído os pilares da clareza, do método e da mentalidade vencedora se não sobrava energia para usar aquilo tudo a meu favor. É como ter uma Ferrari e abastecê-la com gasolina da pior qualidade; o carro pode até andar, mas com certeza vai render muito menos do que poderia.

Aqui estou usando a palavra "energia" como as forças física e mental que nos permitem realizar aquilo que é necessário para construir a fotografia do quebra-cabeça. Sempre que vamos pegar alguma peça do nosso quebra-cabeça, precisamos dessa energia.

Imagine alguém que já montou a própria fotografia, conhece e aplica o Método Inteligente de Produtividade e até tem uma mentalidade vencedora, mas do que vai adiantar ter esses três pilares construídos se no dia a dia estiver quase sempre sem energia física ou sem energia mental?

É importante lembrar que, muitas vezes, a ação pode ser deixar de fazer alguma coisa, como no caso de alguém que tem como meta de realização pessoal emagrecer. Nesse caso, a ação de não comer demanda energia física e mental do mesmo jeito que alguém que precisa agir para fazer algo concreto.

Não estou medindo o que demanda mais ou menos energia, pois o consumo da energia depende das características individuais. Uma decisão de fazer ou deixar de fazer determinada tarefa pode demandar uma energia enorme para uns, enquanto, para outros, será algo extremamente simples de fazer. O ponto é que independentemente do que você queira realizar na vida, precisará de energia, e essa energia é física e emocional.

E era disso que eu precisava naquele momento, mais força interior, física e mental, para abandonar meu emprego público. Então, fui buscar soluções que, em sua maioria, possuíssem fundamentação científica e pudessem gerar mais energia sem necessariamente me obrigar a dormir mais; também resolvi mapear tudo o que drenava a minha energia. Nessa linha, é muito importante que você entenda que existem formas de gerar e de perder energia mental e física e é exatamente disso que vamos falar ao longo deste capítulo, de como ganhar e parar de perder energia.

A fisiologia e a dor de barriga

Mente e corpo fazem parte do mesmo sistema, um interfere no outro de forma direta e indireta. Um exemplo concreto: se eu chegar em casa completamente bem e saudável e a Paty me disser que João ou Carol está com febre, em menos de três minutos vou ter um desarranjo intestinal. Sei que isso não é a melhor coisa a dizer num livro, mas é a pura verdade e só ilustra a conexão que existe entre mente e corpo. O mal-estar dos meus filhos pode causar um grande mal-estar em mim, porque nem tudo o que sentimos no corpo vem do corpo.

E o contrário também é verdadeiro, você pode ter reações emocionais cuja causa está no corpo. A fisiologia corporal interfere diretamente na sua energia. Por exemplo, quer uma fórmula para ficar triste e sem energia? É claro que não, mas eu vou falar assim mesmo, apenas para explicar. É o seguinte, basta você começar a falar um pouco mais baixo e mais devagar, num tom mais melancólico, em seguida curve os ombros um pouco para a frente e olhe levemente para baixo. Neste momento, todo o seu sistema já vai começar a entender que algo ruim está acontecendo e o seu cérebro começará a fazer descargas neuroquímicas, inclusive de algumas toxinas, como resultado desse aparente estado emocional que está se instalando em você.

Se você tentar se lembrar da última vez em que se sentiu mal e sem energia, é bem possível que sua memória traga diversos sinais como os descritos acima e que você tenha inconscientemente adotado.

A boa notícia é que o oposto também é verdade. Se você adotar uma postura fisiológica de sucesso, determinação, autoconfiança, seus níveis de descargas neuroquímicas de componentes positivos vão aumentar, propiciando-lhe sentimentos positivos. Atenção, não estou descrevendo aqui nenhum truque barato de motivação que dura poucos minutos.

Estou falando de experimentos científicos que demonstram alteração real e orgânica no estado de pessoas em razão da postura fisiológica adotada.

Só para citar um dos diversos existentes, a psicóloga social Amy Cuddy, tem um trabalho publicado no TED[9] com o título *Sua linguagem corporal molda quem você é* em que demonstra que adotar determinadas posturas por apenas dois minutos elevam a testosterona, as taxas hormonais muitas vezes associadas ao comportamento dominante e à coragem, e reduzem o cortisol, que é conhecido como o hormônio do estresse.

Portanto, a primeira grande mudança que você pode fazer neste exato momento é adotar uma postura de pessoas que têm e estão com muita energia. Levante os ombros, estufe o peito, olhe para cima, fale de forma firme, aumente levemente o tom de voz, mantenha um sorriso discreto no rosto, olhe as pessoas nos olhos enquanto fala e enquanto elas estiverem falando, pronto. Isso se chama fisiologia Nível A.

Quero combinar com você aqui uma senha que vai pertencer apenas à nossa comunidade de pessoas Nível A de produtividade que está se formando. Sempre que perceber que a energia está acabando e que seu corpo começou a dar algum sinal fisiológico disso, você dirá para si de forma bem firme: "FISIOLOGIA" seguida do seu nome. No meu caso, eu diria: "Fisiologia, Geronimo!" e adotaria no mesmo instante a postura Nível A.

Só para deixar claro, não estou me referindo aqui ao cansaço natural do corpo na hora de dormir, o qual tem de ser respeitado. Estou me referindo à baixa de energia que temos ao longo do dia e que costuma

---

9. Amy Cuddy: *Sua linguagem corporal molda quem você é*. Disponível em: <http://www. ted.com/talks/amy_cuddy_your_body_language_shapes_who_you_are/transcript?language=pt-br#t-522724>. Acesso em: 10 mar. 2016.

Produtividade para quem quer tempo **145**

acontecer por fatores externos, como algo que sai errado, notícias ruins que recebemos ou simplesmente pelo desânimo que bate por não termos a vida que queríamos.

Sono sem culpa

E já que falamos de sono, é muito comum a sociedade reconhecer como esforçada e trabalhadora aquela pessoa que dorme tarde e acorda cedo, que vive com olheiras ao longo do dia, que tem certo nível de irritação por causa do cansaço. Muitas pessoas quando veem um pai de família assim até dizem algo do tipo: "Olha que exemplo de pai (ou de mãe)".

Isso, porém, não é necessariamente verdade. É claro que muitas vezes o esforço de uma pessoa dessas é nobre, mas está se condenando a ter uma vida de olheiras e com um nível baixo de produtividade, que comprometerá o rendimento dela no dia seguinte e, ao render menos, ela é obrigada a trabalhar mais, e por trabalhar mais, acaba dormindo menos ainda. Bom, acho que você já entendeu aonde isso vai parar.

A qualidade do sono está diretamente ligada à qualidade de vida do ser humano, pois é enquanto dormimos que nosso organismo realiza funções extremamente importantes como fortalecimento do sistema imunológico, liberação de hormônios, fixação da memória, entre outras.

"Médicos recomendam que se durma cerca de oito horas por dia e estudos recentes feitos na Europa, nos Estados Unidos e no Japão mostraram que quem cumpre a agenda tem maior expectativa de vida. 'Dormir mal é uma desgraça. Em um momento que seu corpo deveria estar descansando e se restaurando, ele faz tudo ao contrário', comenta Lorenzi. As consequências de um sono de má qualidade vão de estresse e ansiedade, em curto prazo, a complicações cardiovasculares após alguns anos", segundo publicação na revista *Espaço Aberto*, da USP.[10]

---

10. Oliveira, João Vitor. A importância de dormir bem. *Espaço Aberto*. Edição 140, julho de 2012. Disponível em: <http://www.usp.br/espacoaberto/?materia=a-importancia-de-dormir-bem>. Acesso em: 11 mar. 2016.

Posso afirmar que, em muitos casos de alunos da Academia de Produtividade que viviam nesse ciclo da olheira, por mais contraintuitivo que possa parecer, dormir era a atitude mais produtiva que eles poderiam ter.

O sono de qualidade e pelo tempo necessário é etapa fundamental para ter energia, e a energia, por sua vez, é um dos pilares da produtividade Nível A, então, é fácil enxergar quanto é importante dormir.

A fadiga das decisões

Decidir cansa e ponto final!

A frase é tão verdadeira que um estudo, realizado pela Ben-Gurion University em parceria com a Universidade de Stanford, Estados Unidos[11], constatou que, quanto mais tarde fosse realizada a audiência de análise do pedido, maiores eram as chances de os juízes israelenses que participaram da pesquisa negar o pedido de liberdade aos presos.

Em determinada situação, um juiz tomou diferentes decisões em dois casos similares, em que o crime e a pena eram os mesmos, mas um dos casos foi analisado às 8h50 da manhã e foi deferido, e, o outro, analisado às 16h25, teve seu pedido negado.

Na pesquisa foram analisadas 1,1 mil decisões de modo que 70% dos pedidos analisados no começo da manhã tinham sido concedidos, já em relação àqueles avaliados no fim da tarde, esse índice caiu para 10%.

Em outra experiência feita nos Estados Unidos[12], a psicóloga Kathlen Vohs, da Universidade de Minnesota, avaliou dois grupos de estudantes para uma série de testes de raciocínio, em que todos ganhariam

---

11. TIERNEY, John. Do You Suffer From Decision Fatigue? *New York Times Magazine*, 17 ago. 2011. Disponível em: <http://www.nytimes.com/2011/08/21/magazine/do-you-suffer-from-decision-fatigue.html?_r=0>. Acesso em: 11 mar. 2016.

12. CHARTIER, Marcella. Pensar cansa. Mesmo! *SuperInteressante*, edição 259, dez. 2008. Disponível em: <http://super.abril.com.br/ciencia/pensar-cansa-mesmo>. Acesso em: 11 mar. 2016.

um prêmio. O segundo grupo pôde escolher o brinde antes, por meio de um catálogo; o primeiro grupo não escolheu nada com antecedência.

Esse pequeno detalhe, de "gastar" decisão antes, fez com que os voluntários do segundo grupo cometessem mais erros e desistissem mais depressa em relação ao primeiro grupo que não tinha gastado decisões antes.

Tudo isso reforça a lógica de que o cérebro tem uma capacidade limitada de tomar decisões ao longo do dia, de modo que a energia e o poder de tomar as melhores decisões vão se esvaindo, seguindo a mesma lógica dos músculos durante um exercício físico, que vão ficando cansados com o passar do tempo.

Obviamente, uma excelente noite de sono funciona como repositor do banco de decisões e no dia seguinte é como se a contabilidade de decisões começasse de novo.

E no que isso impacta a produtividade? Em muitos aspectos, mas dois deles são os mais importantes. **O primeiro aspecto é o da economia de decisões.**

É fundamental que você economize decisões desnecessárias ao longo do dia, para que no momento de tomar as decisões mais relevantes, o cérebro não esteja cansado e possa tomar a melhor decisão naquele momento.

É claro que talvez isso seja meio extremista, mas existem diversas pessoas famosas que usavam o mesmo tipo de roupa ou têm quem escolha por elas para não terem de decidir o que usar naquele dia e não gastarem o banco de decisões.

Steve Jobs, cofundador da Apple, usava regularmente camisa preta, jeans e tênis. Barack Obama, que usa apenas ternos cinza e azuis, disse: "Não quero tomar decisões sobre o que comer ou o que vestir", e talvez o mais emblemático seja Mark Zuckerberg com suas famosas camisetas cinza e calça jeans[13].

---

13. WORLEY, William. Why Steve Jobs always wore the same thing. CNN, 9 out. 2015. Disponível em: <http://edition.cnn.com/2015/10/09/world/gallery/decision-fatigue-same-clothes/index.html>. Acesso em: 11 mar. 2016.

Você não precisa usar sempre a mesma roupa, mas pode atentar para diminuir processos decisórios desnecessários, como, por exemplo, escolher a roupa do dia seguinte na noite anterior. Ou seja, você toma uma decisão sobre qual roupa usar na noite anterior e não gasta uma decisão no dia seguinte.

Outro aspecto que merece atenção é priorizar as decisões importantes para que sejam feitas nas primeiras horas do seu dia profissional. Reuniões importantes, análises e qualquer outro elemento relevante que demande um processo decisório devem ser realizados nas primeiras horas do seu dia de trabalho.

A mesma lógica pode ser usada no sentido contrário, ou seja, se você começa o dia lendo e respondendo e-mails diversos, mensagens de WhatsApp e redes sociais, pode prejudicar profundamente o restante do seu dia no que se refere a tomar as melhores decisões, pois existe uma infinidade de microdecisões escondidas nessas tarefas. Desde decidir entre "curtir" ou "compartilhar" uma publicação até alguma questão pessoal que não precisava ser vista naquele momento do dia.

 AÇÃO PRÁTICA: fique alerta a todas as microdecisões que você toma na parte da manhã, organize seu dia e prepare seu DRD de forma que as decisões mais relevantes possam ser tomadas de manhã e as demais fiquem para o turno da tarde.

Onde a vida realmente acontece

Uma pesquisa feita em Harvard mostra que em média nossa mente se distrai com pensamentos quase 47% do tempo em que estamos acordados[14]. Isso significa que praticamente metade da nossa vida não

---

14. BRADT, Steve. Wandering mind not a happy mind. *Harvard Gazette*, 11 nov. 2010. Disponível em: <http://news.harvard.edu/gazette/story/2010/11/wandering-mind-not-a-happy-mind/>. Acesso em: 11 mar. 2016.

Produtividade para quem quer tempo 149

passamos vivendo e sim pensando. O pensamento pode ser de dois tipos, aquele que revive o passado ou que antecipa o futuro. De um jeito ou de outro, essa divagação é uma das maiores causas de infelicidade que existem[15] e, ao mesmo tempo, gera uma enorme perda de energia vital.

Pessoas que ficam remoendo o passado, relembrando acontecimentos, têm uma tendência maior à depressão. Segundo o psicólogo Robert L. Leahy, do Weill Cornell Medical College, "a ruminação é um dos fatores que contribuem para a depressão"[16].

Já as pessoas que antecipam o futuro, sempre imaginando o que pode acontecer nos próximos momentos ou nas semanas seguintes, estão fortemente propensas à ansiedade patológica. O pensamento mais comum de um ansioso é imaginar que algo ruim pode acontecer, mesmo que não exista nenhum indicativo concreto de algo nesse sentido. A verdade é que a maior parte do sofrimento do ansioso é por coisas que sequer chegam a acontecer.

O importante quanto ao pilar de energia é que tanto relembrar o passado como viver no futuro consomem de forma acelerada a energia e, mais do que isso, essa postura impede a pessoa de viver a vida real, que é aquela que está acontecendo exatamente agora, enquanto estamos envolvidos com nossos pensamentos.

A melhor forma de se conectar com o presente, com o momento em que a vida realmente acontece, é a prática da meditação que possui resultados comprovados de diminuição de ansiedade, estresse, redução da pressão arterial e até de dores crônicas. A palavra meditação

---

15. Conforme explicação de Andy Puddicombe, um dos maiores especialistas em meditação, no TED. Disponível em: <https://www.ted.com/talks/andy_puddicombe_all_it_takes_is_10_mindful_minutes/transcript?language=pt-br#t-260641>. Acesso em: 10 mar. 2016.

16. SEGATTO, Cristiane. Pensamentos automáticos e depressão. *Época*, 8 nov. 2013. Disponível em: <http://epoca.globo.com/colunas-e-blogs/cristiane-segatto/noticia/2013/11/bpensamentos-automaticosb-e-depressao.html>. Acesso em: 11 mar. 2016.

vem do latim *meditare*, que significa "voltar-se para o centro a fim de desligar-se do mundo exterior"[17].

É importante destacar que a prática da meditação não precisa necessariamente estar ligada a um tipo de religião e, que para os fins da produtividade, o grande benefício dela é o treino da mente para se conectar com o momento presente, reduzindo o desgaste mental desnecessário.

Meu objetivo aqui não é ensinar a meditar, mas fazer com que você esteja presente para o fato de que passamos grande parte do dia envoltos em nossos pensamentos, seja no passado, seja no futuro, e que a prática regular da meditação é extremamente saudável para chegar à produtividade Nível A.

Na minha rotina, enquanto escrevo este livro, começo meu dia praticando dez minutos de meditação. E mesmo que você opte por não se aprofundar na prática da meditação, ainda assim é importante estar atento para se voltar sempre ao momento presente todas as vezes que perceber que sua mente o levou para o passado ou para o futuro.

Da mesma forma que já ensinei como agir em outras situações, estabelecer uma frase para interromper pensamentos repetitivos relativos ao passado ou ao futuro será ótimo para trazer você de volta para o presente. Estabeleci para mim a frase: "A vida é agora" e sempre que percebo que estou me desconectando do presente, digo para mim que a vida é agora e me conecto de novo com o que está de fato acontecendo. Dessa forma, minimizo a perda desnecessária de energia dispendida em algo que sequer está acontecendo.

A importância da água

Estou reunindo para você as principais práticas que eu mesmo uso para ter energia no meu dia a dia e para caminhar sempre na direção de

---

17. Meditação. Disponível em: <https://pt.wikipedia.org/wiki/Medita%C3%A7%C3%A3o>. Acesso em: 10 mar. 2016.

Produtividade para quem quer tempo 151

construir a fotografia do meu quebra-cabeça. Agora, se eu pudesse lhe dar uma única dica sobre como ter mais energia, eu diria: Beba água!

Nosso cérebro é feito de 77% de água e para suprir todas as necessidades do organismo é preciso tomar, em média, de dois a três litros de água por dia. A nutricionista Camila Leonel, da Escola Paulista de Medicina da Unifesp (Universidade Federal de São Paulo)[18], explica que o corpo não possui reservas ou condições para armazenamento de água. É essencial que a sua reposição seja diária para manter a saúde e as funções básicas do organismo. Dois litros equivalem a cerca de oito copos caseiros.

O que acontece com frequência é que muita gente espera ter sede para beber água, mas a sede só aparece quando estamos com quantidade de líquidos no organismo abaixo do nível desejado. Num experimento, a desidratação induzida de apenas 2% da massa corporal já é suficiente para provocar queda no desempenho físico e cognitivo de atletas[19].

A verdade é que na vida moderna, acabamos negligenciando o ato de beber água a ponto de ouvir diversas pessoas se orgulharem de passar o dia trabalhando sem sequer ter parado para beber água. O auge do absurdo foi eu ter ouvido certa vez a pessoa se considerar produtiva pelo fato de não beber água e, por isso, não precisar parar para ir ao banheiro. Os poucos minutos que se para de trabalhar para ir ao banheiro são recompensados pela qualidade de desempenho de um cérebro devidamente hidratado.

Existem duas medidas simples para você melhorar sua ingestão de água na rotina diária. A primeira delas é ter sempre por perto uma garrafa para não depender de levantar a todo instante para repor a água do seu copo. A segunda delas é estabelecer um ou dois parceiros de

---

18. Cinco bons motivos para não deixar de tomar água. Disponível em: <http://drauziovarella. com.br/noticias/cinco-bons-motivos-para-nao-deixar-de-tomar-agua/>. Acesso em: Acesso em: 10 mar. 2016.
19. UFRGS. Efeitos da desidratação no desempenho cognitivo de atletas de futebol. Disponível em: <http://www.lume.ufrgs.br/handle/10183/13804>. Acesso em: 10 mar. 2016.

água, onde todas as vezes que um for beber água serve os demais, assim você duplica ou triplica a quantidade de água diária.

A energia necessária para ter uma produtividade Nível A está ligada tanto ao aspecto físico como ao mental, e apresentei aqui diversas estratégias para você gerar ou parar de perder energia no seu dia a dia.

 AÇÃO PRÁTICA: você não precisa colocar tudo o que ensino aqui em prática de uma única vez, até porque mais importante que a velocidade é a direção. Então, neste momento, defina qual ou quais serão as medidas concretas que você vai passar a realizar daqui para a frente e, depois que tiver estabelecido sua nova rotina, volte a este capítulo e defina as próximas práticas que vai inserir na sua rotina.

Capítulo 11

Agora você começa a criar as histórias que terá orgulho de contar

"Tudo sempre piora antes de melhorar."
Alfred Pennyworth em Batman, O cavaleiro das trevas (2008)

Quando deixei meu emprego público, alugamos uma sala de pouco mais de 30 metros quadrados para ser a sede da empresa Full Ideias, empresa minha e da Paty no ramo de educação e treinamentos. Com o crescimento, tivemos de alugar a sala ao lado e lembro-me de que, antes de mudar, precisamos fazer uma reforma, abrir uma passagem para conectar as duas salas.

O problema é que antes de termos os dois espaços conectados, as coisas ficaram ainda piores, pois não tínhamos concluído a ampliação e a minha sala antiga ficou ainda mais bagunçada por causa da obra que estava sendo feita.

Ou seja, antes de melhorar... piora!

Se você já começou a colocar em prática o que ensino neste livro – e eu sinceramente espero que sim –, já deve ter percebido que antes de realmente sair do nível atual de produtividade para avançar para o próximo, as coisas primeiro pioram, para só depois melhorarem.

Nesse período de transição para se chegar ao Nível A de produtividade, é fundamental entender que piorar antes de realmente começar a melhorar é um fenômeno normal em quase todos os novos hábitos que você tenta instalar na sua vida.

Quem quer emagrecer, antes de começar a eliminar peso (melhora) é preciso parar de comer da mesma forma que antes (piora), ou seja, você perde os prazeres da fase anterior sem ainda ter ganhado os benefícios da próxima. Para quem começa a fazer atividade física, antes de sentir os benefícios no corpo e no condicionamento físico (melhora), sente as dores dos primeiros dias (piora). Quem quer passar num concurso público, antes de ser aprovado (melhora) precisa estudar muito, abrindo mão de diversos programas e momentos de lazer em prol da aprovação (piora).

Eu poderia mencionar dezenas de exemplos aqui, mas tenho certeza de que você já entendeu o conceito mais importante, que, antes de melhorar, as coisas vão piorar, e com a produtividade não poderia ser diferente. Antes de você começar a perceber a ascensão do nível de produtividade, para construir as histórias que sentirá orgulho de contar, você vai precisar adquirir novos hábitos que farão total diferença na sua caminhada.

Portanto, é muito importante que você persista nas primeiras semanas de implementação dos hábitos de produtividade inteligente, porque, depois de algum tempo, cada vez mais as práticas ensinadas aqui se tornarão mais fáceis e rotineiras, até o ponto de se tornarem um novo hábito positivo na sua vida.

Pequena vitória

Pequena vitória ou hábito angular são duas visões diferentes do mesmo objetivo final. Basicamente, existem algumas vitórias e alguns hábitos na vida que por si não têm a potencialidade de gerar o resultado final esperado. Por exemplo, se uma pessoa quer perder peso e ter uma vida saudável, a mera decisão de caminhar trinta minutos uma única vez por semana não proporcionará o resultado esperado, visto que uma periodicidade maior seria necessária.

Como esse indivíduo caminhou no domingo de manhã, na hora do almoço ele já não exagera tanto na feijoada, porque não quer "desperdiçar" os benefícios da caminhada que fez de manhã. Na quarta-feira, que seria um feriado, ele aproveita que está motivado com as caminhadas aos domingos e caminha uma vez mais e, assim, aquele hábito de fazer uma única caminhada por semana deflagrou diversos hábitos secundários, que juntos podem gerar um resultado até melhor do que o esperado a princípio.

E não necessariamente a pequena vitória da pessoa precisa ter relação direta com o resultado final dela. Já tive clientes que queriam produzir mais e estabeleceram como pequena vitória apenas ler a Bíblia todos os dias, outros disseram que passariam a caminhar todos os dias, outros ainda contaram que fariam meditações diárias, enfim, todas essas são atitudes que por si não fariam a pessoa produzir mais, com menos esforço e mais felicidade, mas ao serem postas em prática dispararam outros hábitos que, em conjunto, fizeram cada um desses indivíduos alcançar o nível de produtividade que gostariam.

Neste momento do livro, meu objetivo é preparar você para os próximos passos que vão acontecer ao término da leitura. Não quero que você tenha apenas um *quick fix,* ou seja, uma pequena melhora superficial para, em breve, voltar a agir no modelo anterior. Ao contrário, meu propósito com tudo que ensinei até aqui é que haja uma mudança real no seu comportamento, a ponto de que você jamais retome o padrão anterior.

Por isso, quero estabelecer com você a sua pequena vitória, aquela que vai mantê-lo conectado com o seu propósito maior que é a montagem da fotografia do quebra-cabeça da sua vida. Lembre-se de que, como o nome sugere, estamos em busca de uma pequena vitória, algo simples que você possa implementar no seu dia a dia. Em geral, é algo que você mesmo já deve saber o que é, que tem consciência de que já deveria estar sendo feito, mas ainda não começou de fato.

Então, quero que você anote aqui alguma ação diária simples, pequena, que sozinha não vai montar a fotografia do seu quebra-cabeça, mas eu e você sabemos que pode se tornar um hábito angular, uma pequena vitória, e ajudá-lo na sua caminhada.

Minha pequena vitória será:

_____

_____

Ela será realizada _____ vezes por semana.

De preferência, vou realizar minha pequena vitória sempre às ____ horas.

Produzir é ser íntegro

Durante o tempo em que estive concentrado em escrever este livro, tive a oportunidade de almoçar com Roberto Shinyashiki, psiquiatra e palestrante que dispensa apresentações por ter sido autor de diversos livros best-sellers.

Entre várias coisas que aprendi durante o almoço, uma delas me chamou muito a atenção. Ele disse que produzir é ser íntegro. Íntegro em relação àquilo que dizemos para os outros, mas especialmente em relação ao que nos comprometemos com nós mesmos. Se estabelecermos que faremos atividade física de manhã, precisamos cumprir nossa palavra, pois essa é a forma de produzir mais resultado.

Desde então, tenho praticado ser completamente íntegro em tudo aquilo que falo, nos mínimos detalhes, para tornar a integridade máxima da minha palavra um hábito tão forte que me torne incapaz de descumprir aquilo que me determinei a fazer.

Agora, quando digo para a Paty que em cinco minutos eu a estarei aguardando na recepção de nosso prédio, eu realmente chego em cinco minutos, diferente de antes, que cinco minutos viravam dez, doze minutos.

Se falo para alguém que vou ligar em seguida, realmente ligo.

Quando alguém me convida para algo, não digo que: "Se der eu apareço", a não ser que eu vá de fato me esforçar para aparecer. Quando digo aos meus filhos que vou chegar em casa em determinado horário, eu não me permito chegar nem um minuto depois.

Todos são comprometimentos pequenos, e nos acostumamos a aceitar como normal o fato de descumpri-los. São afirmações que fazemos, e as pessoas, de modo geral, aceitam quando não cumprimos com a nossa palavra e aceitam isso como algo não tão grave, até porque, se olharmos de forma isolada, não é nada grave, mas o perigo mora aí, nesse hábito do desrespeitar pequenos compromissos diários.

O que aprendi com Roberto Shinyashiki e que estou aplicando desde então na minha vida é ser totalmente íntegro em relação à minha palavra e a esses pequenos compromissos. Essa prática me habilita a dizer a mim mesmo que amanhã não vou sequer acessar as redes sociais, e eu não as acesso mesmo. Se digo que vou correr na manhã seguinte, não há maneira de isso não acontecer, e quando digo que vou fazer determinada tarefa eu realmente a faço, tudo porque venho treinando a integridade da minha palavra em pequenos detalhes.

 AÇÃO CONCRETA: a partir deste exato momento, caso ainda não tenha colocado em prática o que acabo de descrever, seja completamente íntegro em sua palavra, sobretudo em relação aos pequenos comprometimentos, seja com você mesmo, seja com qualquer outra pessoa próxima.

Seu único desafio de agora em diante

O que você aprendeu ao longo deste livro é algo prático, que pode ser aplicado imediatamente na vida de qualquer pessoa. Eu poderia enumerar diversas pessoas que aplicaram as técnicas deste livro e mudaram sua vida para sempre, mas, ainda assim, muitos congelam quando observam o enorme sucesso de outras pessoas, a ponto de eu já ter ouvido tantas vezes a frase: "Mas, Geronimo, não consigo imaginar como eu poderia ser melhor do que você".

Vejo essa comparação ser feita por diversas pessoas de diferentes áreas. Como vou ser melhor do que aquele palestrante ou do que aquele pai ou mãe que são quase perfeitos? Muitas pessoas acabam freando o próprio desenvolvimento porque não conseguem imaginar como poderiam ser melhores do que outras pessoas que já têm sucesso na vida.

A verdade é que você não precisa ser melhor do que ninguém, não precisa ser melhor do que eu ou qualquer outra pessoa exponencial na sua área. De hoje em diante, para que consiga montar a fotografia do seu quebra-cabeça e conquistar os quatro elementos essenciais da felicidade, você só precisa tomar uma única decisão na sua vida, **precisa decidir ser melhor do que si mesmo a cada semana.**

Acredito em você, e esta não é uma afirmação barata, feita da boca para fora, só para ter um final feliz no livro. Acredito em você porque, estatisticamente falando, poucas pessoas leem livros e, das que leem, poucas chegam ao final dele. Se chegou até aqui, você já está acima da média.

Então, se eu acredito em você, se você acabou de adquirir um conhecimento que pode realmente mudar a sua vida e permitir que construa histórias de que sinta orgulho de contar lá na frente, se você chegou até aqui, o final deste livro, já é diferente das pessoas em geral. Eu lhe faço agora uma última pergunta: Você está disposto a acreditar que a vida pode ser mais, que é possível construir histórias incríveis? Está disposto a assumir que, se fosse fácil, todo mundo faria, e que o sucesso exige mais?

Se a sua resposta é "não", você pode voltar e reler o livro ou parar a leitura agora, assumir que nunca chegou a terminar a leitura deste livro e seguir a vida exatamente como está. Se for esta a sua decisão, jamais vire esta página, simplesmente feche o livro agora e quem sabe a gente não se encontre um dia desses por aí.

Agora, se a sua resposta é verdadeiramente "SIM", eu o convido a virar a página deste livro, mas, antes, lembre-se: sempre que tomamos uma decisão na vida, existem mudanças no universo ao nosso redor e essa é uma decisão que não tem volta, você não pode virar a página e depois desvirar.

E então, qual é a sua decisão?

UAU

Eu tinha certeza de que você viraria a página. Que esse gesto signifique que a sua antiga vida ficou para trás, junto a todos os seus medos, ansiedades, raivas e rancores. Que essa virada signifique um renascimento para viver o melhor trecho da sua vida, que é este que está acontecendo exatamente a partir de agora.

Lembre-se de que essa sua decisão de virar a página lhe traz a grande responsabilidade (consigo e comigo) de ser incansável na construção das histórias incríveis que você vai contar lá na frente.

O que acabo de dizer é tão importante que eu lhe faço um último desafio. Quando me encontrar na rua, me dê um abraço, olhe dentro dos meus olhos e me diga: "Eu virei a página e hoje construo as histórias mais incríveis que eu poderia contar".

Então não vou me despedir de você, porque este não é o fim, é só o começo.

Começo
Geronimo Theml